D0286415

BAISSE LA PRESSION, TU ME LES GONFLES !

DU MÊME AUTEUR

Dans la même collection :

J'ai essayé : on peut !
Un os dans la noce.
Les prédictions de Nostrabérus.
Mets ton doigt où j'ai mon doigt.
Si, signore.
Maman, les petits bateaux.
La vie privée de Walter Klozett.
Dis bonjour à la dame.
Certaines l'aiment chauve.
Concerto pour porte-jarretelles.
Sucette boulevard.
Remets ton slip, gondolier.
Chérie, passe-moi tes microbes !
Une banane dans l'oreille.
Hue, dada !
Vol au-dessus d'un lit de cocu.
Si ma tante en avait.
Fais-moi des choses.
Viens avec ton cierge.
Mon culte sur la commode.
Tire-m'en deux, c'est pour offrir.
A prendre ou à lécher.
Baise-ball à La Baule.
Meurs pas, on a du monde.
Tarte à la crème story.
On liquide et on s'en va.
Champagne pour tout le monde !
Réglez-lui son compte !
La pute enchantée.
Bouge ton pied que je voie la mer.
L'année de la moule.
Du bois dont on fait les pipes.
Va donc m'attendre chez Plumeau.
Morpions Circus.
Remouille-moi la compresse.
Si maman me voyait !
Des gonzesses comme s'il en pleuvait.
Les deux oreilles et la queue.
Pleins feux sur le tutu.
Laissez pousser les asperges.
Poison d'Avril, ou la vie sexuelle de Lili Pute.
Bacchanale chez la mère Tatzi.
Dégustez, gourmandes !
Plein les moustaches.
Après vous s'il en reste, Monsieur le Président.
Chauds, les lapins !
Alice au pays des merguez.
Fais pas dans le porno...
La fête des paires.
Le casse de l'oncle Tom.
Bons baisers où tu sais.
Le trouillomètre à zéro.
Circulez ! Y a rien à voir.
Galantine de volaille pour dames frivoles.
Les morues se dessalent.
Ça baigne dans le béton.

Hors série :

L'Histoire de France.
Le standinge.
Béru et ces dames.
Les vacances de Bérurier.
Béru-Béru.
La sexualité.
Les Con.
Les mots en épingle de San-Antonio.
Si « Queue-d'âne » m'était conté.
Les confessions de l'Ange noir.
Y a-t-il un Français dans la salle ?
Les clés du pouvoir sont dans la boîte à gants.
Les aventures galantes de Bérurier.
Faut-il tuer les petits garçons qui ont les mains sur les hanches ?

Œuvres complètes :

Vingt-deux tomes déjà parus.

SAN-ANTONIO

BAISSE LA PRESSION, TU ME LES GONFLES !

6, rue Garancière - Paris VIe

ISBN 2-265-03876-8
ISSN 0768-1658

A mon cher Fred HIDALGO
en souvenir des temps anciens

SAN-A.

En ce temps-là, San-Antonio dit à ses disciples :

— Regardez bien les hommes. Et maintenant, regardez-moi !

« Vous ne trouvez pas que je leur ressemble ? »

AVANT-PROPOSE

Elle avait travaillé en qualité d'infirmière, dans sa jeunesse — ce qui remontait à lurette. Il lui en restait une certaine connaissance des maux et des mots.

Elle dit au médecin, alors qu'il examinait son bonhomme :

— Cela a commencé par des frissons, une très forte température, de la céphalée, une rachialgie lombaire, des vomissements, de la constipation et des douleurs épigastriques.

Le toubib auscultait Sammy Ferguson en pensant qu'au retour il devrait montrer sa Chevrolet au garagiste. Elle produisait un cliquetis inquiétant et il craignait pour ses soupapes.

Mrs. Ferguson ajouta :

— Vous savez à quoi j'ai pensé, docteur, quand j'ai vu surgir une éruption de type morbilliforme ?

Le médecin ne répondit pas. Il était en train de se dire qu'il consulterait le garagiste plus tard car il devait passer visiter Molly Heigerter, laquelle se plaignait de n'importe quoi pour le seul plaisir de le faire venir chez elle. Pendant qu'il l'examinait, elle lui caressait la queue à travers son pantalon. Il feignait de ne pas s'en apercevoir mais prolongeait l'auscultation pour permettre à la salope de mener les choses à leur terme. La dernière fois, il avait déchargé dans son calbute, ce qui procure un bonheur intense, mais se révèle source d'ennuis par la suite, à moins de disposer d'une salle de bains et d'un slip de rechange. Il avait demandé « après » la permission d'aller « se laver les mains », ce qu'on lui avait accordé bien volontiers et en toute compréhension, mais il avait eu beaucoup de mal à remettre de l'ordre dans son futal. Néanmoins, ce nouvel appel de Molly Heigerter allumait tous les feux de l'enfer sous sa peau !

Mrs. Ferguson ne se laissa pas déconcerter par son silence et reprit :

— J'ai pensé à la variole, docteur.

Cette fois, le médecin haussa les épaules.

— La variole n'existe plus, mistress Ferguson. Elle a été totalement vaincue et même dans les contrées les plus reculées d'Afrique, elle se tient tranquille.

Il bandochait confortablement en songeant à Molly Heigerter. La hâte du cul l'emparait et le vieux Ferguson commençait à lui battre les roustons avec ses vésicules rosâtres pleines d'un liquide transparent (il lui en avait pressé une : pouâh !).

La vieille dame n'insista pas.

— Alors ce serait quoi, selon vous, docteur ?

— Une grippe intestinale d'origine virale entraînant une éruption de boutons.

Si Molly Heigerter « remettait ça », tout à l'heure, il est probable qu'il réagirait et même participerait. Il avait envie de lui faire minette car elle possédait des cuisses pulpeuses et une chatte qu'il devinait délectable. Pour terminer, il l'amènerait au bord du lit, les jambes pendantes et l'enfilerait à la langoureuse, se tenant appuyé au matelas, de part et d'autre de la patiente, du plat des mains, ce qui lui permettrait de la voir prendre son pied. Pourtant, il s'était toujours promis de ne jamais copuler avec une cliente. Nombre de ses confrères qui s'étaient laissés aller à ce genre de faiblesse avaient eu à la regretter par la suite. S'il sautait Molly Heigerter, devrait-il lui faire cadeau de la consultation ?

— Vous dites qu'il n'a plus de température ? grommela le bon docteur Smith.

— La fièvre est tombée brusquement, au quatrième jour, et cela aussi m'a fait penser à la variole, assura-t-elle timidement.

Le toubib prit une voix grondeuse :

— Ecoutez, mistress Ferguson, je ne veux plus entendre ce mot de variole tombé en désuétude ! Si quelqu'un d'autre, appartenant au corps médical, vous entendait, il se moquerait de vous !

Elle eut un acquiescement éperdu, pétri d'excuses en vrac.

— Je disais parce que...

— Alors ne dites plus, je vous en conjure !

Il se redressa, rabattit la veste de pyjama de son patient et fourra son stéthoscope dans sa grande trousse noire.

— Je vais vous faire une ordonnance, dit-il. Le fait que la température soit tombée indique que nous sommes dans la phase finale de cette grippe. Surtout : ni laitages, ni végétaux crus jusqu'à nouvel ordre !

Il eut de la peine à marcher, à cause de son sexe dilaté. Décidément, il s'embroquerait la Molly, c'était décidé. Il avait passé une nuit blanche à l'hôpital où il était de garde et la fatigue attisait ses sens.

A trente-cinq ans, tu ne peux pas charrier un membre de cette vigueur tout au long de la journée. D'autant que son épouse n'était pas opérationnelle depuis la veille et que son assistante avait congé.

Il rédigea l'ordonnance promise, adressa un *hello* distrait au malade, donna une tape sur l'épaule de sa rombière et s'éclipsa.

Sa chignole cliquetait de plus en plus. Smith en fut chagriné ; ces sales cons de garagistes jouent de l'ignorance de leurs clients plus impunément que les toubibs, retenus par leur conscience. Peut-être que le bruit de la Chevrolet était dû à une cause bénigne mais le père

Cassidi, le garagiste, prétexterait des avatars compliqués pour lui présenter à l'arrivée une note longue comme un rouleau de papier peint ! Salaud !

Quand il atteignit le cottage des Heigerter, posé, tel un jouet, sur une pelouse vert pomme, il fronça les sourcils en apercevant la camionnette du mari devant l'entrée. Son désir se mit à panteler. Merde ! Si les époux se mettaient à rester chez eux dans la journée, son job allait perdre une bonne partie de ses attraits !

Fred Heigerter vint lui ouvrir, le visage soucieux.

— Ah ! vous voilà, doc ! Je me fais du souci pour Molly.

— Qu'est-ce qui se passe ?

— Elle est en pleine anorexie : quatre jours qu'elle n'a rien avalé, sinon du thé froid ! A croire qu'elle a décidé d'entreprendre une grève de la faim, cette connasse !

— Des problèmes dans le ménage ? questionna Smith, l'œil vaseliné.

— Bon, disons qu'elle n'est guère en train pour accomplir son devoir conjugal.

Il rit, comme un con qu'il était. Un beau vrai et total con, songea le docteur. Un con indéniable, flagrant ! Presque réconfortant si on y réfléchissait.

— Et ça crée un conflit ? insista le praticien.

— Ben, ça crée que je déteste me mettre la ceinture, doc, comprenez-moi ! Un couple, il est fait pour fonctionner, non ?

— Certes, admit loyalement l'arrivant. Bon, je suppose qu'un peu de déprime passe par là ; les femmes sont des bibelots fragiles, vous savez, Fred. Je vais essayer de voir ce qu'il y a dans sa petite tête. Vous devriez nous laisser. Si elle vous sent présent dans la maison, elle risque de ne pas se confier pleinement.

— Vous avez raison. J'ai quelques sacs d'engrais à livrer à Lake City, je vais en profiter !

Il grimpa sans plus attendre dans sa camionnette et ce que le docteur Smith ressentit pour lui à cet instant ressemblait à une solide amitié d'enfance.

Il était reconnaissant à cet indicible cocu de se retirer si volontiers, si prestement, lui laissant le champ et le cul de sa femme absolument libres.

Le docteur regarda s'éloigner la camionnette blanche où s'étalait, en vert végétal, la raison sociale du cornard.

Réconforté par tant d'infinie complaisance, il gagna la chambre de Molly. Elle l'attendait dans une chemise de nuit transparente, décolletée jusqu'aux abords du nombril. C'était une jolie fille aux cheveux châtain foncé avec des reflets roux, et à la peau très pâle parsemée de taches de son. Elle possédait un regard bleu sombre, pratiquement marine, qui faisait passer des messages.

Son visage grave n'alarma pas le médecin. Il lisait une ironie pétillante dans les prunelles de la pseudo-malade.

— Alors, il paraît que le moral donne de la bande, madame Heigerter? fit Smith en s'asseyant au bord du lit.

Sans répondre, elle lui saisit le palonnier d'un geste prompt et informé. Cette bougresse le convoitait tellement que sa main tremblait d'impatience.

Pourquoi à cet instant le docteur songea-t-il qu'il avait omis de se laver les mains après l'auscultation du vieux Ferguson? C'était contraire aux règles les plus élémentaires d'hygiène. Pour comble, il avait pressé un de ses bubons à la con, à travers un tampon de gaze, certes, mais le geste n'en comportait pas moins des risques de contagion. Il fut tenté d'échapper à la main vorace qui lui malaxait les bas morceaux pour procéder a des ablutions, il se retint en songeant que Molly risquait d'interpréter la chose comme une rebuffade et de renoncer à ses initiatives.

Alors, il se laissa aller. Complètement.

Huit jours après l'apparition des premiers symptômes, les pustules recouvrant la face et le torse du vieux Ferguson se firent plus nombreuses et se rompirent. La fièvre reprit. Il fut en proie à des hémorragies multiples qui s'aggravèrent et il mourut en moins d'une semaine après que le pauvre docteur Smith, débordé, l'eut enfin fait conduire à l'hôpital de Garden Walley. Dans l'intervalle, une maladie identique frappa Molly Heigerter. Des analyses de sang montrèrent une mononucléose et une myélocytose. Un œdème de la glotte avec suffocation se déclara, qui faillit l'emporter, mais sa robuste constitution lui permit d'en réchapper. Elle guérit, gardant sur son beau visage d'exquise salope une multitude de petits cratères qu'elle eut bien du mal, par la suite, à mastiquer avec des fards.

Ferguson et Molly Heigerter ne furent que les deux premières victimes d'une longue série qui devait décimer dans la contrée une vingtaine de personnes (parmi les plus fragiles : vieillards, enfants, femmes enceintes) et rendre très malade plus de la moitié de la population.

Les services de santé alertés identifièrent une réapparition de la variole, ce qui devait donner raison à la veuve Ferguson, dont le diagnostic était meilleur que celui du sensuel docteur Smith. La région fut mise en quarantaine. On s'empressa de fabriquer à nouveau du sérum antivariolique afin de protéger les citoyens et une bonne partie de l'Etat du Maine fut vacciné.

Une commission d'enquête, nommée par la Faculté de Médecine d'Augusta, fut chargée de chercher l'origine de cette étrange réapparition, dans une nation saine, d'une maladie depuis longtemps jugulée. Il y eut des conférences de presse, d'éminents articles, des interviewes de sommités internationales. Mais rien de décisif n'apparut. L'on finit par croire que cette résurgence était due à quelque voyageur contaminé par un séjour dans une contrée où la variole restait encore endémique, malgré la belle certitude des médecins qui la réputaient vaincue. Comme ce début d'épidémie avait été enrayé, on l'oublia, d'autre préoccupations mobilisant l'opinion publique.

A cause de son visage grêlé, Molly Heigerter devint réellement neurasthénique et se refusa définitivement à son mari. Mais comme il n'avait plus envie d'elle, tout fut pour le mieux dans le pire des mondes !

DESSINE-MOI UNE BITE

Il me dit, à brûle-pourpoint, en me tendant son stylo feutre :

— Dessine-moi une bite, Tonio !

Bon. Moi, pas bégueule, je lui dessine une bite. Stylisée.

Il regarde mon graffiti de pissotière, pensif, puis me dit :

— T'as remarqué, Tonio, tous les mecs que tu leur demandes de te dessiner une bite, ils la représentent à l'horizontale, avec les roustons de profil ; ça ressemble à un canon braqué. T'en as jamais qui la dessinent à la verticale, c'est-à-dire pendante. Pourtant on bande peu de temps dans une journée, non ? Et le bout de ton nœud regarde plus souvent tes pieds que ton front, non ?

— C'est vrai, conviens-je, frappé par l'argument du môme Toinet.

Il me dit :

— On voit que t'as un gros paf, toi. La bite que tu viens de dessiner tient toute la feuille !

— Comment sais-tu que j'ai un gros paf, Toinet ? je lui demande, par « curieusité ».

— Je l'ai vu, dit-il avec simplicité. Le nombre de fois que j' sus entré dans ta chambre juste comme tu sortais de ta douche...

J'ai envie de lui objecter qu'un paf fraîchement douché n'a pas le carénage d'un paf en exercice.

Il me dit, pour désamorcer ma remarque :

— Et puis aussi, je t'ai vu sabrer Maria, la bonniche. Alors là, t'y mettais une verge de bourrin, Tonio ! Plus conséquente que mon poignet ! Bien plus ! Au départ je comprenais pas qu' c'était ton chibre, m' semblait qu' t'avais un troisième bras !

Cette révélation me plonge dans une gêne qui bloque ma respirance au niveau de la glotte.

— Quand m'as-tu vu baiser Maria, Toinet ? j'articule, pour dire de réagir.

Il me dit :

— Un aprème que j'étais rentré plus tôt de l'école et qu'm'man Félicie était en course. La Maria gueulait comme une putoise. Tu penses, avec un mandrin pareil dans les miches, ça n'avait rien de surprenant ! Elle avait besoin d'en causer !

— Je n'avais pas fermé la porte à clé ? m'inquiété-je, troublé.

— Si, mais t'avais pas bouché le trou de la serrure et, à travers lui, on a une vue directe sur ton plumard, je te signale. Je devrais pas te le dire, maintenant tu vas te gaffer de la chose et accrocher ton slip après la clé. Si bien que pour mater, tintin !

Il rit.

Notre converse n'a rien de pervers, je te rassure. Moi, c'est pas mon style de dévergonder un gamin de douze ans. On cause entre hommes, le plus simplement du monde. Y a que les viceloques pour y trouver malice.

On bouffe tête à tête, Toinet et moi. Ma chère vieille est à Abano, pour une cure contre ses rhumatismes. Il lui en est venu brusquement un peu partout : épaules, poignets, genoux. Le doc l'a expédiée chez les Ritals prendre des bains de boue. Ça fait trois jours qu'elle batifole dans la gadoue, Féloche, et déjà elle ressent un grand mieux. Dès lors, je m'occupe davantage du môme, m'efforçant de rentrer pour le dîner, malgré mes occupes. Maria n'a pas assez de poigne pour lui faire lâcher les programmes avant l'extinction de la dernière des chaînes. Le frichti n'a pas le raffinement de celui de ma vieille. On donne dans les œufs au jambon, les nouillettes au beurre et la saucisse de Toulouse au riz, depuis son absence.

Il me dit :

— C'est dingue ce qu'elle peut avoir comme poils au cul, Maria.

— T'as eu le temps de constater ça ! m'étonné-je.

— Mouais, et à tête reposée. Elle me montre quand je lui réclame.

— Quoi ! égosillé-je.

Justement, elle est en train de chantonner dans la cuistance, l'ancillaire. L'absence de ma Félicie ne la chagrine point trop. Elle chique les maîtresses de maison. Ses responsabilités lui donnent de l'importance. C'est le coup classique. Quand tu veux calmer un garnement turbulent, tu le charges de surveiller la classe ; et alors il change tout au tout, devient fumier rapineur, intransigeant !

— Maria te laisse regarder son cul ! m'étranglé-je.

— A la demande, répond placidement Toinet.

— C'est une vicieuse, cette Espanche !

— Non : une peureuse. Je lui ai dit que je t'avais vu la sabrer et que si elle ne me laissait pas regarder, je le dirais à m'man Félicie. Alors elle glaglate et me montre tout ce que je veux. Bientôt, j'y demanderai de toucher ; ça devrait pouvoir s'arranger. Et puis un jour, p't'être... Mais rien ne presse, j'ai qu' douze ans !

Il écrase son jaune d'œuf avec un gros morceau de pain qu'il s'enfourne ensuite dans la clape. Il m'adresse un clin d'œil. A travers sa mastication il questionne :

— T'es pas jalmince, j'espère ?

— Non, mais j'ai horreur du chantage ! La contraindre à poser sa culotte en la menaçant, c'est dégueulasse !

Il engloutit son morceau de pain chargé d'œuf.

— J' lui demande pas de pognon, Tonio ; là, oui,

c' s'rait moche. Juste de me laisser regarder son cul! J'ai ma sexualité qu'est en marche, grand; faut que j'assume! Note qu'elle m'insulte pendant que j' mate. En espagnol, mais je comprends le sens général. Elle doit m' traiter d' crapule, de goret, de bouc et d' voyeur, des trucs, quoi! Mais j'm'en moque, du moment que j'y examine la moule! Quoique, frisée à ce point, ça fait un peu peur. Tu dirais qu'elle est en train d'accoucher d'un nègre! T'es obligé d' la coiffer avant de la pointer, je parie, non?

Il éclate de rire et des particules de bouffe voltigent dans l'air à la ronde.

Maria survient avec une salade de mâche-betteraves rouges. L'hilarité de Toinet l'inquiète. Et voilà que moi, ça me gagne aussi. J'imagine Toinet, aux premières loges, en train de détailler le trésor de l'Espagote. Pas marrant, d'être servante. Le plus terrible, c'est cette passivité, cette résignation dont « elles » font preuve. Quand la robotique aura pris leur place, aux soubrettes, les *Droits de l'Homme* auront fait un nouveau pas en avant, comme disent les politicouilles de mes deux chéries.

— Porqué vous rire? s'inquiète la brunette.

Elle est comestible, la môme. Y a quelque chose d'excitant chez les domestiques femelles. Pourtant, je te le répète, je ne suis pas un pervers. Simplement un « dru ». La famille champignon, quoi!

— Il vient de me raconter une blague, la rassuré-je.

— Celle des avions d'Ibéria qu'ont des poils sous les ailes! pouffe Toinet, incorrigible.

Et de rire à gorge rabattue. Vexée, la Maria retire nos petits plats à œufs pour nous permettre de claper sa salade.

— Tu devrais lui placer une petite paluche polissonne, sinon elle va faire la gueule! avertit le môme. T'as remarqué, ces Espingos, comme ils se vexent pour des riens?

Je m'abstiens de suivre son conseil, par décence et, fectivement, la belle Maria s'emporte en maugréant.

Il me dit :

— T'sais l'idée qui m'est venue, Tonio ? Magine-toi qu'on a congé jeudi prochain. C'est « le jour du maire »... Si je manquerais l'école le vendredi, ça me ferait cinq jours de vacances et on pourrait aller voir m'man Félicie à Abano. T'imagines sa joie si elle nous verrait rappliquer tous les deux à l'improviste ?

Je réfléchis :

— Ce ne serait pas raisonnable, môme. Tes prestations scolaires sont trop foireuses.

— Tu crois que c'est en un vendredi qu' je rattraperais mon retard, grand ? Faut s'faire une raison, t'sais : j'vais redoubler ma sixième ; alors, tant qu'à faire... Moi, j's'rais d' toi, j'hésiterais pas.

Voilà qu'il me flanque l'envie de décarrer, l'arsouille ! C'est vrai que l'idée est à creuser. J'imagine m'man, son sourire en tranche de pastèque si elle nous trouvait assis dans son *albergo* en rentrant de son bain de merde.

— Jeudi prochain, c'est après-demain ! réfléchis-je.

— T'as gagné la question à vingt balles, Tonio. On pourrait soite partir ce soir si on y va en bagnole, soite prendre l'avion demain, j'ai maté ton horaire Air-France : y a un zinc pour Venise demain matin vers dix plombes.

— Et mon boulot ?

— Fais-le faire par le Négus et Béru. Ça sert à quoi les esclaves ?

— T'en prends à ton aise, gamin.

— Faut vivre, non ? Et puis qu'est-ce tu ferais de moi mercredi, jeudi, samedi, dimanche ? J'peux pas passer quatre jours devant la téloche ou la craquette de Maria. T'es gonflant, dans ton genre. Je solutionne tes problèmes et t'ergotes !

— On va voir, me retranché-je. C'est pas si simple.

— On pourrait même emmener Maria, si t'es aux as. Tu l'imagines sur une gondole, avec son poilu de quatorze ent' les cannes ? Ça f'rait triquer l' gondolier, surtout qu'elle sait pas s'asseoir bas, Maria. L'aut' jour, elle se tenait sur l'escalier pour la barre de cuivre, d'puis l'entrée on matait sa culotte avec le cresson qui débordait !

— Franchement, môme, je ne vois pas la nécessité de l'emmener avec nous.

— Parce qu'on y va ! bondit le madré qui ne laisse rien passer.

Comme ça il m'a eu, Toinet. Deux coups les gros, vite fait bien fait !

Lui, il commence par te demander de lui dessiner une bite et tu te retrouves à Venise sans avoir très bien compris le tour de passe-passe.

Faut dire que ça paye.

Dès le lendemain, aux aurores, il bordélise la maison, le loupiot ! On s'est préparé une valoche chacun, avec le minimum. Bagages accompagnés. Le rêve. Rien de plus détestable que de morniser devant un tourniquet d'aérogare où dodelinent des valises. Guetter la gueule béante du dévaloir pour attendre les siennes me file des fourmis sous les valseuses et des crampes d'écrivain dans les panards. Alors bon : on a chacun son mignon baise-en-ville et nous voilà partis.

Maria est déçue à mort par cette décarrade. Je l'ai astiquée un grand coup cette noye, pendant que Toinet pionçait, histoire de lui. Et ç'a été nickel. Pas que ce soit l'affaire du siècle au pucier, l'Espanche, mais elle participe avec fougue et même se lance à me turluter la guiguite, ce qui n'est pas tellement une spécialité d'outre-Pyrénées. Mais je pense qu'elle m'aime et l'amour pousse une femme à exécuter tous les désirs du mâle, c'est connu.

Elle pleure en nous disant *bye-bye*. Je fais mine d'être ému et on taille la route.

Une fois à Charles-de-Gaulle, Toinet me fait remarquer que nous n'avons pas recommandé à Maria de taire notre voyage à m'man pour le cas où elle téléphonerait ce morninge. Si elle lui balance qu'on est en route pour la voir, notre venue ne sera plus une surprise. Il a raison, aussi me précipité-je dans une cabine téléphonique afin d'alerter ma maîtresse-servante. Ma voix lui arrache un long roucoulement.

— Moussié, moussié, vous faites bien dé m'appéler ! Jé viens dé recevoir oune commounication d'un moussié qu'il voulait absolumenté vous jouandre. Vous dévez l'appéler tout dé souite à Vienne dans la Autriche.

— Il n'a pas dit son nom ?

— L'a dit qu'il était oune vieil amigo : messié Félix. Et il va mourrrrir si vous ne pas l'appéler tout dé souite immédiatémente.

M. Félix ! Tiens, un revenant ! Des années que je suis sans nouvelles de l'illustre professeur, fameux par son sexe dont le calibre ridiculise celui de Bérurier ! Le cas anatomique du siècle ! Une chopine d'un demi-mètre de long sur huit centimètres de diamètre ! La dernière fois que je l'ai rencontré, il vivotait en déposant la photo phénoménale de ses attributs sur la table des dames seules, dans les brasseries. Au dos figuraient ses coordonnées. Les personnes intéressées entraient en contact avec lui et il monnayait les instants incomparables passés avec ces femelles solitaires. Une forme délicate de prostitution. Ce vieux désabusé, sceptique, misogyne, misanthrope, ne cherchait plus à vivre de son érudition. Il comptait davantage sur sa queue que sur son savoir, ayant enfin réalisé que dans ce monde corrompu, la première lui valait plus de considération que le second.

Et voilà qu'il me virgule un S.O.S. depuis Vienne, Autriche. Moi, un pote qui crie au secours, tu me connais ?

Cette fois j'engouffre le bureau de poste de l'aéroport pour appeler le numéro que m'a répercuté la sombre Maria. Toinet rouscaille qu'on va être appelés d'ici peu et qu'il s'agit pas de rater le zinc.

— Vous avez Vienne en ligne !

Une voix féminine, un peu caverneuse because trop de schnaps, me répond. Je lui réclame *Herr* Félix. « *Momente* », me répond-elle. Et puis c'est l'organe (pas le gros, l'autre) du Prof.

— Seigneur ! Déjà vous, Antoine. Je vous reconnais bien là.

— Que se passe-t-il, cher ami ?

— Je suis traqué, très cher. Si je n'avais pu, grâce à mon sexe dont vous connaissez la particularité, convaincre une dame de m'accorder asile, je serais déjà mort.

— Vous me racontez ?

— Trop long, trop délicat, trop dangereux. Peut-être allez-vous me trouver gonflé, mais serait-il envisageable que vous vinssiez me rejoindre ?

Je pense fort à m'man, là-bas, dans la gadoue d'Abano. Un petit air de dessous-de-plat à musique m'égratigne l'âme.

— Donnez-moi votre adresse, Félix.

— Vous êtes un garçon unique, exulte le Prof. Je séjourne chez *Frau* Gretta Muelner, 16 Platz am Hof. Une dévoreuse, Antoine ! Il faut la sauter toutes les heures : mon salut provisoire est à ce prix. C'est dur, car je suis devenu vieux pendant que vous aviez le dos tourné. Je dois tricher, mon petit, m'économiser, aussi, ne tardez point trop.

— J'arrive !

Clinc ! J'ai raccroché. Derrière la vitre, Toinet trépigne.

— T'as pas entendu ? Ils ont appelé le vol Al Italia pour Venise, grand !

J'opine mollement.

— Y a changement de programme, petit mec.

— Quaouoi ? s'étrangle l'arsouille redoubleux de sixième.

Je tire mon horaire Air-France de mon baise-en-route. Ce bol ! Y a un *flight* Air-France pour *Wien* dans une heure quarante. Et qui part du même aéroport !

— T'as vu jouer les *Sissi impératrice,* môme ?

— Videmment. De la branlette ! Plus sucré que ça, tu dégueules !

— On va tout de même aller dans son pays, dis-je. *Le Beau Danube Bleu,* Toinet ! *Le Troisième Homme !* La Grande Roue ! Les calèches tirées par des chevaux blancs... Tu vas bicher un de ces pieds géant !

— Et m'man Félicie ? objecte-t-il gravement.

Je prends tous les risques :

— Nous irons la voir le week-end prochain.

Alors là, il tourne radieux, l'Espiègle.

— Comme ça, banco, grand. J'sus ton homme !

DESSINE-MOI UN PAUVRE CON

Toujours impétuoser dans la première croisade venue, ça finira bien par craquer, un jour, à force d'à force ! Un glandu sorti de ma vie par la porte de secours, depuis lurette, me virgule un S.O.S. fumeux et poum ! v'là le vitrier qui passe ! Tant va le cachalot qu'à la fin il se glace, comme dit finement Béru, à qui rien de ce qui est con n'est étranger. Ça finira par se présenter, la méchante couillerie, le sale gnon irrémédiable, la bastos imparable, l'os mauvais qui te déguise en mort ou en géranium. A ça que je gamberge dans le taxoche qui nous drive jusqu'à la Platz am Hof où Félix verge une vieille Viennoise en m'attendant.

Toinet ne moufte pas, le pif collé à la vitre. Déjà la grosse Mercedes noire et le manteau de cuir du *driver* l'ont impressionné. Ça fait voiture de maître. C'est compassé. Ça sent le militaire de luxe. Il mate Vienne, ses artères romantiques, les calèches que je lui ai promises, conduites par des cochers de cérémonie en chapeau melon taupé.

Dans quelle foutue béchamel s'est-il filé, le vieux Félix ? L'érudit ambulant ! Le philosophe décavé. Nihiliste à bloc, ne croyait plus ni en Dieu ni en l'homme. Son immense savoir, sa queue plus immense encore constituent pourtant de sacrés atouts ! Mais lui, il en a eu quine d'affronter jour après jour la même armée de pommes. Analphabètes et méchants, dirait mon pote

Cavanna. Leur enseigner quoi ? Leur coller son braque dans les miches, pourquoi ? Et ils restent muets, tous, comme des panneaux indicateurs qu'un mauvais farceur aurait peints en noir. Ils te pompent la bite et la science, mais n'offrent rien en contrepartie. C'était ça qui lui amochait le mental, Félix. Il en avait conçu un lent désespoir cousin germain de la neurasthénie. La dernière fois que je l'avais rencontré (rencontre providentielle pour lui), il était entre deux agents qui le drivaient au commissariat, l'ayant pris en train d'exhiber son formidable paf dans les couloirs du métro. Il essayait de leur expliquer qu'il n'était pas un sadique, mais que cette démarche constituait pour lui un mode d'expression ; tu parles, les pandores, comment qu'ils réfutaient un tel langage ! Je l'avais délivré de leurs griffes rapaces, et puis on avait vécu une aventure, les deux. Me rappelle plus très bien laquelle, si ça t'intéresse t'as qu'à compulser dans mes hautes et basses z'œuvres complètes. Je crois que le bouquin en question décarre à la Porte Saint-Martin, voire Saint-Denis... C'est du kif. Et puis quelle importance ? Ça a juste été un moment, désormais englouti. C'est passé, c'est fini. On continue à se bricoler des souvenirs à oublier !

Je carme le bahut. Y a fallu que je change des francs, à l'aéroport. Je laisse un pourliche de *Kronprinz,* ce qui me vaut une raide courbette du chauffeur. Il me tient la portière kif je serais un *Herr General.* Ça coupe le sifflet à Toinet, vu que chez nous, les taximen, tout juste qu'ils s'arrêtent quand tu descends. Ils gardent le bras à la portière et répondent nib à ton au revoir. Rien qu'est plus malheureux qu'un taxi parigot, si on en croit sa frime sinistrée, son hostilité permanente. L'air d'avoir enterré toute sa famille avant de venir et qu'un client pervers l'a emmanché dans une impasse avant de lui secouer sa comptée.

Je regarde la Platz am Hof, avec ses immeubles de couleur : lie-de-vin, jaune paille, gris bleuté. Le genre d'endroit que j'aime. Le passé y est enroulé sur lui-même, tel un chat devant l'âtre ; et si tu prêtes l'esgourde, tu l'entends ronronner.

Je jette un œil indécis à Toinet. Il le capte et l'interprète.

— Non, le grand, dit-il : compte pas que je t'attende en bas. Je suis pas venu ici pour poireauter sur une place !

— J'ai rien dit ! bougonné-je.

— T'as rien dit, mais j' te connais, mec.

Il franchit le porche du 16 d'un pas décidé. Après tout, si par hasard l'immeuble est surveillé, le môme constitue une bonne couverture.

On grimpe au troisième et je drelingue à la lourde de la dame Muelner. Y a tout un bigntz avant qu'on ouvre. On perçoit des glissements feutrés, des portes qu'on ferme à l'intérieur, des loquets qu'on fait jouer. Et puis une créature de mauvais rêve apparaît par les vingt centimètres d'ouverture. Il s'agit d'une dame au teint plus que blafard de pierrot, à la chevelure orange, coupée court sur les côtés et dressée en crête de coq sur le sommet. La personne est drapée dans une robe de chambre qui ne cache pas la puissante gibbosité dont son dos est affligé. Son hâtif portrait serait incomplet si je ne te précisais qu'elle a dû dépasser les soixante-dix carats depuis des temps immémoriaux.

— Vous désirez ? me demande-t-elle en autrichien.

— C'est à moi que le monsieur qui est ici a téléphoné ce matin, madame Muelner, lui réponds-je en allemand, dialecte qu'elle perçoit parfaitement.

— Je ne sais pas ce que vous voulez dire, fait-elle.

Toinet a fait un pas en avant pour admirer la bosse de la dame. Il siffle et lance :

— T'as maté ce compteur à gaz, Tonio ? On dirait qu'elle coltine un sac tyrolien !

Mais ma préoccupation est autre. Il est visible que la mère Carabosse chocotte. Ils n'ont pas dû accorder leurs violons, Félix et elle. Alors, moi, je lui distribue un sourire large comme la représentation du parti socialiste sur l'éventail de la Chambre des députés et je lance, vibrant, enjoué :

— Ho ! Ho ! Félix ! C'est San-Antonio !

Toinet me dit :

— Tu connais l'histoire du mec qui encule un bossu, grand ? Y lui caresse la bosse et y dit « Oh ! la belle poitrine ! »

Je ne m'esclaffe pas, pour deux raisons : la première parce que je la connaissais ; la seconde parce que Félix vient de surgir, depuis le fond du couloir, vachement décati et délabré, dans un pyjama à rayures trop grand pour lui. Il marche sur le bas du pantalon. Les manches dépassent ses mains de vingt centimètres et tu pourrais loger trois gonziers comme lui dans le vêtement sans qu'ils soient incommodés par la promiscuité.

Pour vieillir, il a vieilli, le Prof. Son crâne en forme de suppositoire paraît plus pointu et plus blafard que jadis, son nez plus long, son strabisme plus convergent. Sur les côtés de la tête, de longs cheveux raides, presque entièrement blancs, composent une sorte de petite cape pour emmitoufler ses oreilles. Quant aux rides, c'est le méchant chassé-croisé autour des yeux et de la bouche. L'entrelacs perfide du temps. Ça me rappelle les murs des maisons de pisé de mon pays natal, quand elles commencent à flancher. Félix, faudrait pas l'abandonner tout mouillé dans les hivers, sinon sa bouille éclaterait pour de bon. Son regard en binocle est bourré d'une indicible détresse qui me fait froid à l'âme et aux miches.

Il s'avance d'une allure de somnambule ; et c'est vrai que dans ce vieux pyje provenant sans doute d'un époux mort, t'as l'impression qu'il va marcher sur le bord des toits, les mains en avant, comme sur les dessins humoristiques de l'*Almanach Vermot.*

— Antoine ! balbutie-t-il, oh ! cher, inoubliable Antoine. Il n'est que vous pour faire montre d'un pareil dévouement. Comment va Mme votre mère ?

— Très bien, merci.

— Vous êtes toujours à marier ?

— Toujours.

— Et Marie-Marie ?

— Veuve !

— Quel malheur !

— Non.

— Ah ! bon. Vous nous l'épouserez bien un jour, n'est-ce pas ?

— Si j'atteins l'âge de la retraite, pourquoi pas !

— Oh ! cruel ! Qu'attendez-vous pour fermer la porte, Gretta, mon tardif amour ! lance-t-il en allemand à son hôtesse. Cette vieille chaussette mal reprisée me tape sur les nerfs, me lance-t-il. Elle m'a, certes, sauvé la vie, mais je parviens mal à lui exprimer ma reconnaissance, sinon au lit, car sa gibbosité m'excite. Je n'avais jamais baisé de bossue, Antoine. Elle n'aurait pas eu cette monumentale cyphose, je ne me serais pas senti capable de niquer cette portion de cauchemar. La nature humaine est fantasque, n'est-ce pas ? Capricieuse au-delà de toute logique. Et ce jeune garçon, qui est-il ?

— Mon fils adoptif.

— Bravo ! Il est tellement mieux de réparer les erreurs des autres plutôt que d'en commettre soi-même. C'est ce sacré instinct de reproduction qui a tout foutu par terre. Préserver l'espèce ! Foutaise ! L'espèce de quoi, Antoine ? Nous allons prononcer le mot ensemble : l'espèce de... cons ! Oui, merci ! A propos de cons, comment va Bérurier ? Toujours égal à lui-même ? Ma question est stupide, comment en serait-il autrement ! Le soleil est brûlant, la mer salée et Bérurier est... Bérurier ! Quelle joie de vous revoir !

Il est saisissant dans son incroyable pyjama, le Prof.

— Je suis certain que ce charmant garnement ne fiche rien en classe, n'est-ce pas ? Oh ! ce n'est pas un cancre, presque son contraire ; mais il aime trop la liberté pour apprendre des choses qu'il n'a pas envie de savoir ! Et comme il a raison !

« Quand je pense que j'ai passé des années de ma vie — les plus belles ! — à enseigner des matières sans importance que les moins mauvais de mes élèves oubliaient sitôt leurs bordels d'examens passés. Tenez, je me rappelle une série de cours sur Nerval ! Je vous demande un peu ! Nerval ! Vous voulez que je vous révèle une chose, Antoine, ainsi vous ne serez pas venu pour rien : Nerval, c'est un chiant ! *Les Filles du feu ?* Laissez-moi rire ! *L'air était frais et embaumé !* Et ce con qui se couchait sur la bruyère... Et merde ! Sylvie ? Je l'encule, moi, Sylvie, mon cher ami ! Je lui en fous plein les miches, jusqu'aux roustons ! Et vous savez mon membre ! Je voudrais la traverser de part en part ! L'embrocher, Sylvie ! Le bal, les mélancolies ! Ce que j'ai honte, après coup, d'avoir infligé ce brouet de mots à des innocents qui ne demandaient qu'à jouer et à se masturber en paix ! Je dis Nerval, parce qu'il me vient à l'esprit, ce foutraque. Mais j'en ai deux douzaines d'autres à vitupérer ! Ah ! comme j'aimerais pouvoir reprendre toutes ces leçons semées ! Récurer ces adolescents de Nerval et des autres foireux ! Mais ouichtre ! Ils sont devenus hommes, les gueux ! Ils sont devenus gras et mesquins ! Barristes, décorés, riches ! Ils sont devenus cons, Antoine, cons irrécupérables. Il n'existe aucun Lourdes de suprême instance pour la connerie ! Plus aucun espoir, fût-il d'obédience divine ! La minéralisation de la connerie est dé-fi-ni-tive ! Ariel ou Omo anticalcaire n'y peuvent rien !

« Gretta, ma chère âme, offrez donc à ce petit garçon l'un de ces biscuits viennois qui constituent l'ultime manifestation des fastes impériaux de François-Joseph. J'ai à parler avec mon merveilleux ami. Ne me violez pas le garçonnet surtout, infâme truie aussi merdique que son Danube couleur de pisse trouble. Venez par ici, Antoine. La vieillarde possède un petit salon avec une cheminée où flambe un vrai feu. Nous y serons à l'aise pour converser. Comment t'appelles-tu, cher mauvais élève ? Antoine, toi aussi ! Mais c'est une dynastie ! »

— Non, cher Félix : une rencontre. Il se prénommait ainsi quand je l'ai rencontré, révélé-je.

— Et cela vous a excité, pas vrai, cher grand fou ; c'est qu'on raffole des hasards, chez nous autres vivants. On guette si intensément le moindre signe ! La Butterfly scrutant la mer pour y déceler une fumée ! Salope ! Mme Gretta va s'occuper de toi, mon petit Antoine. Essaie de l'amadouer car elle commence à rechigner de me voir m'incruster chez elle ! Ton sourire de gavroche nous vaudra peut-être un sursis. Ne lui casse rien, surtout ! Ici c'est plein d'objets fragiles et hideux auxquels elle tient davantage qu'à son vieux cul fripé. Si elle veut toucher ta zézette, ne te laisse pas faire. A moins que tu n'y trouves un certain agrément. Sensoriellement, je l'ai déclenchée, l'infâme rombière. Lady Carabosse n'avait pas tellement de demandes avant notre rencontre, surtout à son âge ! Ça ne se bousculait pas entre ses cuisses. Depuis que je la fourre avec mon marteau-pilon, elle se croit irrésistible, partant du principe que si on peut s'embourber la queue du siècle, toutes les autres sont à votre disposition.

Félix me précède jusqu'au salon promis. Une pièce moyenne, fanée, avec des meubles Louis XVI autrichien (si je puis dire) recouverts de tissu Louis XVI français ; des murs tendus de soie à rayures et décorés de tableautins libertins. La plupart représentent des angelots, des amours joufflus aux sourires extasiés, comme si on leur filait un doigt dans le fion.

C'est vrai qu'un feu de bûches illumine le plafond mouluré. Je me laisse quimper dans un fauteuil, Félix s'octroie le canapé de manière à ce que nous soyons disposés en équerre devant l'âtre. Son pyjama trop vaste laisse deviner sa monumentale chopine. Même à l'abandon, elle conserve un volume important. A croire qu'il cache une lance d'incendie dans le pantalon de pilou, le Prof.

— Quelle aventure, Antoine ! soupire-t-il. Mais quelle stupéfiante aventure, mon pauvre ami !

— Je compte sur vous pour me la narrer avec cette élégance du verbe qui ajoute à votre charme, Félix.

Il y a un hochement de tête désabusé. Ma flatterie n'a pas prise sur son désenchantement.

— Pour commencer, je vais vous résumer ce que fut ma vie depuis notre dernière rencontre, Antoine. Imaginez-vous que j'ai fait du cabaret. Oh ! pas en qualité de chansonnier, rassurez-vous. Avez-vous entendu parler d'une boîte *hard,* de Saint-Germain, à l'enseigne de *La Chatte en Feu ?* Non ? Elle est pourtant réputée. C'est dans cet établissement que je me produisais. Des années durant j'y ai interprété le même sketch, car il faisait un malheur ! J'étais assis, comme un client, à une table près de la piste. Le spectacle commençait par des danses érotiques et se poursuivait par des démonstrations d'actes sexuels. Toujours le même canevas, mon pauvre ami : un monsieur et une dame. Ils se rencontrent. Jouent les timides. Puis s'enhardissent et finissent par copuler crapuleusement. Les seules variantes sont dans les costumes et le décor. Vous avez la troussée en chemin de fer, le petit salon 1900 type *Maxim's,* le coït à bord d'une barque de plaisance, la fermière culbutée dans la paille par un uhlan de la mort (guerre 14-18), le précepteur violant sa jeune élève (inspiré de *La Leçon,* de Ionesco), la sentinelle enfilant tout debout une cantinière dans sa guérite, et bien d'autres saynètes de ce calibre.

« Le clou du spectacle représentait le cabinet d'un psychiatre. Le médecin psychanalysait une luronne languide, laquelle se mourait de consomption, parce qu'en amour elle ne parvenait pas à trouver chaussure à son pied. Vous le devinez, le docteur essayait de la revigorer par ses propres moyens physiques dont je dois admettre qu'ils étaient estimables. Mais la donzelle restait sur sa faim. Le psy mandait alors son concierge, quelque peu plus membré que lui. Toujours sans que la cliente en conçût la moindre satisfaction.

« C'est alors que je me manifestais. L'on avait accru mon aspect rétro par une mise surannée. Je portais lorgnon, guêtres de daim, pantalon rayé, veste noire, lavallière de soie grise. Je demandais, depuis ma table, si l'on voulait bien m'essayer. Hilarité dans la salle. Le « docteur » m'invitait à rejoindre sa patiente. Je commençais alors un strip-tease qui faisait se plier en deux l'assistance, jusqu'au moment où je finissais par déballer ce qui serait l'objet de ma vanité, si j'étais vaniteux. Alors un silence merveilleux muselait le public. La dame blasée se jetait sur mon membre, achevait par des caresses enthousiastes de le mettre au beau fixe et, là, Antoine, je la prenais sur le divan médical. J'avais pour partenaire une personne hautement comestible dont la peau parlait à la mienne et dont le parfum de femelle me chavirait. Elle appréciait loyalement notre étreinte et je crois sincèrement que c'est sur la piste de *La Chatte en Feu* que j'ai accompli mes meilleurs prestations amoureuses.

« La présence de ces gogos en rut ne me troublait pas. Peut-être même attisait-elle quelques fantasmes secrets en moi ? La salle retenait son souffle mais exhalait mille plaintes. Quand je me retirais c'était l'ovation spontanée ! Des houris frénétiques abandonnaient leurs compagnons de soirées pour venir toucher ma biroute fourbue. J'ai compris ce que pouvait être la gloire d'un artiste de music-hall. Certains soirs de liesse déferlante, je me prenais presque pour Aznavour et j'avais envie de régaler l'assistance d'une branlette supplémentaire, comme le grand Charles accorde une dernière chanson *a capella* (ou *a cappella*) à ses fans en délire. »

Il rêvasse un instant et je note un certains remue-ménage dans le pyjama, provoqué par l'évocation. Les flammes illuminent son visage de vieux jeton branlant. Un paf surcalibré comme le sien constitue chez lui une double anomalie.

— Eh oui, Antoine, soupire-t-il, eh oui, ça été une sacrée période de ma vie. J'étais assailli d'invitations ! Le nombre de personnes qui ont voulu m'avoir chez elles, mon cher ! Très vite, je me suis fait payer. J'étais un virtuose, après tout ! Invite-t-on Menuhin à venir jouer du violon chez soi contre une tranche de foie gras et un magret de canard aux pêches? Je peux vous révéler une chose plaisante, Antoine : j'ai fait fortune. Pas une fortune qui porte ombrage à Bouygues ou à Lagardère, mais une fortune à ma mesure qui, convenablement investie, assurera mes vieux jours si toutefois les méchants qui me cherchent m'en laissent!

— Eh bien! bravo, Félix! Tous mes compliments.

Il sourit, lointain.

— Un jour, j'ai dû cesser mes représentations par la faute de ma partenaire. Elle s'est mariée à un notable de province et personne n'a pu la remplacer de manière à me garder opérationnel. Beaucoup de gens « ont leurs têtes », Antoine. Moi, j'ai « mes culs ». Il me faut une motivation secrète, une impulsion subconsciente. Ainsi, de l'affreuse boscotte qui m'héberge. J'ai besoin du petit rien qui fait de moi un surbandant, sinon je ne suis qu'un triste sexagénaire aux prises avec sa sénescence. Vous me comprenez, Antoine? Sans la touche mystérieuse de la nature, votre vieux Félix n'est plus qu'un pauvre con à la queue basse. Vous me comprenez?

— Je pense que oui, lui dis-je. Sincèrement.

DESSINE-MOI UNE TÊTE D'HAINEUX

Il surmonte son coup de flou, Félix. Je trouve que son strabisme converge de plus en plus. Ça lui fait pendouiller le regard sur le cercle inférieur de ses lunettes. Il n'est pas rasé et son poil grisâtre le transforme en malade, le pyjama aidant. Curieux que la nature se soit montrée si bienveillante avec sa braguette.

Il repousse de sa mule un menu brandon jailli de la cheminée. Puis poursuit :

— Peu de temps après ma mise à la retraite, alors que j'avais fait des adieux émus à mes partenaires de *La Chatte en Feu,* j'ai reçu une lettre des Etats-Unis. Elle émanait d'un certain professeur Broutmich, d'Augusta, dans le Maine. Cet homme honorable dirige le service gériatrique de l'hôpital Namofgod, l'un des plus réputés de la côte Est. Dans sa lecture, il m'expliquait qu'une de ses collaboratrices, Nelly Nicethigh, avait assisté à ma prestation lors d'un voyage à Paris et avait parlé au professeur de la surdimension de mon pénis. La description qu'elle en avait donnée troublait le praticien. Il me précisait que si mon élément reproducteur dépassait les 40 centimètres, il était prêt à m'inviter à Augusta pour une série d'observations dans son service ; tous frais de déplacement et de séjour payés, avec, en plus, une prime de vingt mille dollars. Pour un homme devenu libre et empêtré dans sa liberté, l'offre était intéressante. Je pris un mètre de couturière, vérifiai la longueur de mon sexe (48 centimètres) et répondis par l'affirmative à la proposition du professeur Broutmich, auquel j'adressai une photo de moi, nu et en pied, afin qu'il pût constater la réalité de ma bienheureuse anomalie. Quinze jours plus tard, je débarquais à Augusta.

« Prendriez-vous un petit quelque chose, Antoine ? Je vous préviens que mon récit sera long. La vieille bosco a une liqueur d'abricot des plus agréable qui s'absorbe sans qu'on y pense, comme un feuilleton américain. »

Sans attendre ma réponse, il va chercher dans un petit meuble en marqueterie un flacon habillé d'une étiquette pimpante, plus deux verres de cristal de petite contenance et qu'il emplit d'une main qui commence à trembler légèrement.

— Au début de mon séjour américain, j'ai eu beaucoup de plaisir. Helmunt Broutmich, d'origine germanique, est un homme agréable, plein d'attentions. Son assistante qui est aussi sa maîtresse, à qui je devais d'être connu de lui, mourait d'envie d'essayer mon membre. Depuis sa soirée à *La Chatte en Feu,* elle fantasmait sur mon phallus et vint me violer dans ma chambre dès la première nuit. C'est une jolie fille, un peu maigre mais pas si étroite que sa morphologie ne me le laissait craindre. Je lui donnai satisfaction, ce qui était la moindre des choses. Sa maigreur m'inspira et ce fut une opération réussie pour les deux.

Côté clinique, ce ne fut pas assujettissant. J'eus droit à une séance de photos et de mensurations précises. On fit également des radios. Broutmich me produisit dans un amphithéâtre à des confrères à lui, puis à ses étudiants. J'eus la grande satisfaction de provoquer un désir incoercible chez une jeune fille qui se croyait frigide et fuyait tous rapports sexuels, de quelque nature qu'ils fussent. J'accordai à l'adolescente quelques séances particulières, mais ne pus, hélas, concrétiser ses vœux, nonobstant les oléagineux auxquels nous eûmes recours pour tenter une percée. Elle dût se contenter de chevaucher l'objet, ce qui la conduisit tout de même à une pâmoison de bon aloi et lui ouvrit du moins des perspectives d'avenir. Vous le voyez, cher Antoine, mon expérience américaine ne manquait pas d'agrément.

« C'est alors qu'il se produisit dans la région, un événement grave : une flambée de variole qui prit le corps médical au dépourvu. Cette maladie, Dieu merci, a disparu depuis pas mal d'années déjà de la planète. L'acharnement thérapeutique de la Santé mondiale en a eu totalement raison. Et voilà qu'on assistait à une réapparition du fléau ! Et où cela ? Pas dans des souks, des cases, ni des taudis, Antoine, mais dans de coquets cottages américains. L'ami Broutmich en perdait son latin ! L'un de ses anciens élèves, le docteur Smith, établi dans la coquette cité de Garden Valley, était au désespoir. C'est lui qui avait été en présence du tout premier cas. Il n'avait pas su diagnostiquer le mal et son patient était mort.

« Comment et pourquoi je me pris d'amitié pour ce jeune praticien ? Il se trouvait dans une affliction voisine de la déprime. Assistance à personne en danger, Antoine ! Un élan de charité chrétienne m'a échappé. Ces notions-là vous collent à la peau de l'âme. Vous avez beau vous affranchir de toute une panoplie de croyances, il vous en reste des instincts de croisés. Le voyant au creux de la vague, je devins son vieil ami de France : l'hurluberlu à la grosse bite ! Je lui fis voir qu'il y avait une tâche à accomplir : essayer de déterminer d'où provenait la résurgence de ce virus. Elle avait bien une cause ? Une source ? Certes, les commissions médicales ne manquaient pas de s'activer, de supputer, d'enquêter, cela en pure perte. Histoire de lui changer les idées, je lui suggérai de prendre quelques jours de vacances et d'enquêter avec moi. Dans les cas de neurasthénie, l'action est miraculeuse. L'homme qui agit ne pense pas. Je le convainquis sans trop de mal et nous nous mîmes au travail. J'avais vingt mille dollars à dépenser. On pouvait voir venir... »

Il en est à ce point pilpatant de son récit lorsque la porte s'ouvre sur sa Carabosse. La vieille bossue glapit comme quoi Toinet vient de lui claper tout le contenu de sa boîte de biscuits pendant qu'elle soignait la plante en pot décorant son balcon : un fabiusbaladurus à floraison bissextile.

Je rassure la dame en promettant d'aller lui acheter six boîtes de ces sublimes friandises pour compenser la voracité de mon adopté. Félix reconstitue le fort volume de son appendice à travers l'étoffe du pyjama, ce qui équivaut à un chèque en blanc.

Calmée, Gretta Muelner s'emporte vers d'autres lieux.

— La vieille chaufferette me tape sur les nerfs ! m'avertit Félix. Je compte sur vous, Antoine, pour me sortir de son piège à rats.

— Soyez rassuré, ami, je suis là !

Il me sourit tendrement.

— Quel garçon exquis vous faites, Antoine ! Courageux, drôle, disponible ! Ah ! posséder un fils et qu'il soit à votre image, quel bonheur ce serait ! Mais l'ironie du sort veut qu'avec un braquemart de 48 centimètres, je n'aie jamais été fichu de procréer ! Cela dit, ça vaut mieux puisque c'est à moi que l'enfant aurait ressemblé, et non à vous !

Il rit.

— J'emporterai mon paf dans ma tombe : quel régal pour les asticots lorsqu'ils s'attaqueront à la queue du père Félix ! Elle qui aura fourni tant et tant de festins !

Il re-rit. Verse une seconde « tournée » d'abricotine.

— Cela vous ennuierait de poursuivre votre histoire, Félix ?

— Au contraire, mon bon. Comme je vous le disais, nous entreprîmes, le jeune docteur Smith et moi-même, quelque chose qu'il faut bien appeler « une enquête », ne vous en déplaise. Sur mes instances, nous la prîmes par le début, c'est-à-dire par le malade *number one,* celui qui allait périr le premier, un vieux type du nom de Ferguson. Il laissait une aimable veuve, femme de jugeote, ancienne infirmière, donc de quelque compétence. D'ailleurs, selon Smith, elle avait, la première, reconnu les symptômes de la variole dans la maladie de son époux.

« D'autres, avant nous, étaient venus la questionner : « avaient-ils eu des contacts avec un étranger ? Son mari avait-il fait un voyage, quelque temps auparavant, dans un pays sous-développé ? » Les réponses étaient « non ». Les Ferguson ne recevaient personne et se déplaçaient peu. Ils n'avaient jamais quitté le territoire américain. Leurs seuls voyages consistaient à rendre visite une ou deux fois l'an à leurs fils, établi à Atlanta. Comme ce dernier gérait un motel, il lui était malaisé de se déplacer lui-même, car personne ne le secondait efficacement.

« Je m'enquis auprès de Broutmich pour savoir si l'on avait enregistré des cas de variole dans la capitale de la Georgie. Là encore, la réponse était « non ». Les commissions d'enquête qui nous avaient précédés, s'étaient arrêtées à cette constatation. Nous faillîmes faire de même. Pourtant, dans la nuit qui suivit, j'eus une insomnie d'où jaillit LA grande décision qui allait marquer le tournant de l'affaire : nous devions nous rendre à Atlanta et continuer l'enquête chez le fils Ferguson. »

— Bravo, Félix ! ne puis-je me retenir d'exclamer. Voilà qui est d'un véritable flic !

Il ôte ses lunettes. Ses yeux abandonnés s'entrechoquent soudain. Posément, il fourbit ses verres avec le pan de sa veste pyjameuse, se refait un regard et le braque sur moi.

— En France, dit-il, nous n'avons pas d'idées, mais nous avons du bon sens.

— Donc, Félix, votre petit toubib ricain et vous-même, vous rendîtes chez le fils du premier variolé ?

— Exactement. C'est un obèse blafard. L'Amérique en produit des quantités, à coups de pop-corn, de *club-*

sandwiches et de boissons gazeuses. Des êtres énormes de partout auxquels il faut deux sièges pour s'asseoir et qui, en règle générale, croient prendre l'air dégagé en s'affublant de tee-shirts à la gloire de Superman ou de Mickey Mouse. Ferguson fils appartient à cette catégorie. Il a toujours un sachet de friandises ou un gobelet géant à la main. Il ne parle qu'en mastiquant et il bouffe même aux chiottes. C'est une sorte de monstre. D'hippopotame vautré dans son marigot. Il passe sa vie dans un énorme fauteuil colonial, derrière son comptoir, à lire des *comics* en mangeant.

Il campe bien, Félix. On s'y croirait. On devine le lettré, à l'écouter. Décortiqueur de textes. Prêteur d'intentions.

— Et alors ? pressé-je.

Mon terlocuteur me coule un regard de reproche. Je n'apprécie donc pas son récit que je veuille en hâter le déroulement ? Je l'apaise d'un sourire et je murmure :

— C'est passionnant !

Rassuré, il gratte ses roustons quelque peu appauvris par l'excès de zèle qui leur fut demandé un demi-siècle durant.

— Nous entreprîmes le siège de cette forteresse de graisse, poursuit le professeur. Ferguson a le souffle court et la bouche pleine, donc il parle peu. Nous mîmes des jours à lui arracher par bribes des faits dont vous allez mesurer l'importance. Je vous passe les affres de ce long accouchement. Nous lui tirions les vers du nez par minuscules tronçons, anneau après anneau. Nous développions ensuite cette maigre pâture en questionnant le personnel et les voisins du motel, entre autres un marchand de voitures d'occasion d'origine mexicaine. Enfin, nous parvînmes à établir le rapport suivant :

« Lors du dernier séjour des parents Ferguson, c'est-à-dire quelques semaines avant le décès du vieux, il se produisit un fait divers au motel. Que je vous précise auparavant l'originalité de l'établissement. Il représente un campement indien. Chaque bungalow a la forme d'une hutte, bien qu'il soit en ciment et pourvu du meilleur confort. Il y a une douzaine de ces constructions autour d'une tente centrale, beaucoup plus vaste que les autres, servant d'office et de restaurant. L'ensemble fait un peu Disneyland, mais il est amusant et attire le touriste de passage qui ne manque pas de le photographier sous tous les angles. Papy et mamy Ferguson occupaient le bungalow le plus proche de la construction mère. La tente voisine de la leur était occupée par deux jeunes femmes blondes. Elles s'étaient inscrites sous des noms américains, mais Ferguson fils prétendait qu'entre elles, elles parlaient polonais. Il avait fait un séjour dans l'armée, au cours duquel il s'était trouvé en compagnie de deux Polaks naturalisés qui employaient leur langue originelle pour communiquer entre eux et avait gardé ce dialecte en mémoire.

« Le second jour de leur arrivée, des agents de la C.I.A. se présentèrent au motel et montrèrent au taulier la photo d'une des filles. Ferguson reconnut qu'elle était momentanément sa cliente. Les deux agents se rendirent alors à la tente-bungalow des deux filles. La porte en était fermée à clé. Ils frappèrent et leur ordonnèrent d'ouvrir, ce qu'elles firent après quelques tergiversations. Les gars de la C.I.A. leur passèrent alors les menottes. Ils rassemblèrent les effets des deux clientes et embarquèrent le tout. A signaler que le père et la mère du motelier se trouvaient à l'office pendant cette arrestation, à laquelle ils n'assistèrent donc point. C'est toujours clair, Antoine ? »

— Tellement limpide que ça me donne soif, cher Félix !

— Après avoir passé la journée en compagnie de leur poussah de fils, reprit le professeur Nimbus de la verge, les Ferguson rentrèrent se coucher. La mamy se mit à procéder à ses préparatifs nocturnes dans la salle de bains. En l'attendant, le vieux brancha la télé. C'est alors qu'il remarqua, à côté du poste, un objet étrange qui ne s'y trouvait pas le matin. Il s'agissait d'un cube d'acier d'environ sept centimètres de côté. L'une des faces coulissait. Elle était fermée par un cachet de cire comportant un signe qu'il ne sut interpréter. Le bonhomme fit sauter le cachet et coulisser le couvercle. Le cube s'avéra être une sorte de boîte contenant neuf petites ampoules dans des compartiments de bois. L'une d'elle était brisée. Ferguson père flaira la chose qui ne dégageait aucune odeur spéciale. Il se demandait comment ce minuscule container d'acier avait échoué au pied du poste de télé. Regardant alentour, il constata que sa fenêtre était ouverte, à cause de la chaleur (le climatiseur ne fonctionnait pas) et qu'en face de ladite, à deux ou trois mètres, la fenêtre du bungalow voisin l'était aussi. En homme de jugeote, il pensa que quelqu'un avait dû lancer la boîte d'une tente à l'autre. Alors il s'en saisit et sortit. Ce fut pour constater que des policiers exploraient le bungalow des deux filles. Ils fouillaient les lieux avec minutie. Le vieux leur montra sa trouvaille et leur demanda si, par hasard, ce n'était pas « ce machin-là » qu'ils cherchaient. Les flics s'écrièrent qu'effectivement; Ferguson expliqua où il avait déniché la boîte. Ils le remercièrent chaleureusement, placèrent la boîte d'acier dans un sac en plastique et se retirèrent.

— Formidable, Prof! exulté-je. Cette boîte contenait le virus de la variole et le vieux fut contaminé par l'ampoule qui s'était brisée sous l'effet du choc quand l'une des gonzesses l'a balancée d'un bungalow dans l'autre à l'arrivée des perdreaux!

— Tout nous permet de le penser, n'est-ce pas?

— C'est l'évidence.

Là-dessus, la Carabosse revient en trombe dans le salon. Elle est en surexcitance indignée. Faut l'entendre clamer en autrichien moderne! De ses criailleries, il appert (de couilles et du verbe apparoir) que ce satané Toinet vient de lui faire une propose honteuse, à Mme *Frau*. Il lui demande ni plus ni moins qu'elle lui montre sa bosse; en contrepartie, lui s'engage à lui laisser toucher sa guiguite.

— Mon Dieu, ma chère, je conçois mal votre indignation, la calme Félix, le marché est équitable et je dirais même que je le trouve plutôt avantageux pour vous. Votre gibbosité est un amas excédentaire qui, sans vouloir vous vexer, n'intéresse que quelques esprits curieux, tandis que les génitoires de ce petit garçon sont des bijoux que vous n'aurez probablement plus jamais l'occasion de tripoter. Voilà une offre inespérée, ma bonne, que seul un petit Français de France pouvait vous faire. Quelle autre nation, en effet, produit des enfants aussi délurés ?

Elle renaude encore, la chouette déplumée. Balance des *mein Gott, mein Gott* pour catastrophe nationale. Les Popoffs radineraient sur Wien avec leurs chars, elle serait moins perturbée !

On la darde en silence jusqu'à ce qu'elle s'évacue. J'ai idée que le gars Toinet va la rendre jobastre avant la fin de notre visite. Tu parles d'une emplette qu'elle a faite en draguant Félix, la vieille peau ! Sa quiétude bourgeoise morfle sérieusement.

Lorsque enfin elle nous lâche les baskets, on est obligés de se reconnecter le circuit pour revenir à l'affaire Félix.

— Que vous disais-je, Antoine ?

— Vous acheviez de me relater l'histoire du container à variole... Une fois acquise cette info primordiale, qu'avez-vous fait ?

— Une connerie, répond sans hésiter Félix. Et majeure !

— Mais quoi encore, Félix ?

— Nous sommes allés à la police pour rapporter aux autorités ce que nous venions de découvrir.

— La police d'Atlanta ?

— Oui.

— Vous avez raconté aux flics des événements qu'ils connaissaient déjà, noté-je.

— Certes, mais ils n'en connaissaient pas les prolongements. Ainsi ignoraient-ils l'épidémie de variole qui en a résulté dans le Maine. Cela dit, ça n'a pas eu l'air de les émouvoir beaucoup. Notre déclaration a été enregistrée par un gros flic porcin qui fumait un cigare de vingt centimètres. Il a pris nos coordonnées, nous a fait signer le papier et n'a même pas répondu à notre salut lorsque nous l'avons quitté.

Félix prend l'air gêné du monsieur que son épouse embrasse en présence de sa maîtresse.

— Qu'est-ce qui vous chicane, Félix ?

— Je viens de penser que le docteur Smith ne voulait pas que nous nous rendions chez les flics d'Atlanta ; il tenait à conserver notre découverte pour ceux d'Augusta puisque c'était dans la région d'Augusta qu'avait sévi l'épidémie ; c'est moi qui ai insisté, triple idiot que je suis ! Si je l'avais écouté, il vivrait probablement encore.

Je sursaille :

— Il est mort ?

— J'allais y venir, Antoine. Une fois notre rapport fait aux autorités de Georgie, j'ai proposé à mon compagnon de visiter la région. J'aime les belles demeures de style colonial comme on en voit dans les films au sucre glace des grands confiseurs d'Hollywood, style *Autant en emporte le vent.* Il a accepté. Nous avons alors loué une voiture pour sillonner la contrée. Smith était un bon compagnon, très porté sur le sexe. Il nous est même arrivé une double bonne fortune dans un restauroute servant de halte aux bus Greyhound. Deux voyageuses, la mère et la fille... Je me trouvais aux toilettes. Je n'avais pas pris garde au fait qu'il en existait pour les *white men* et pour les *coloured men.* Bien entendu, distrait comme vous me savez, j'étais entré dans les secondes. Un grand vieux nègre à barbe survint, qui s'indigna de ma présence. Dans le Sud, ces gens ont pris l'habitude de pisser entre eux et je n'eus que le temps de m'évacuer, la bite à la main. C'est alors que je croisai la dame évoquée plus haut : la maman. Jeune maman. Elle rôdait autour de la quarantaine et ne pouvait laisser passer un sexe de la dimension du mien. La manière dont elle le regarda me laissa entendre que, déjà, elle le convoitait. Je le lui proposai pour après ma miction, car j'en avais besoin pour la satisfaire. Elle accepta. Je prévins le docteur Smith de ce qui s'ourdissait et il consentit à « s'occuper » de la fille. Nous conduisîmes ces deux dames dans la campagne environnante et pûmes les fourrer convenablement, nonobstant l'inconfort. Ce genre d'exploit bucolique ne pénalise que nos charmantes partenaires car nous sommes mieux adaptés qu'elles, nous autres mâles, à de furtives étreintes.

Lorsque nous eûmes batifolé à loisir, nous nous aperçûmes que leur bus était reparti sans les attendre et nous dûmes le courser en voiture pour le rattraper. Je vous signale la chose pour vous dire que c'est la fille qui, au cours de cette poursuite, nous avertit que nous étions suivis. Effectivement, une Lincoln noire nous collait au train. Nous rejoignîmes le Greyhound à l'entrée d'une agglomération et les deux polissonnes purent y prendre place. Ensuite de quoi, nous nous occupâmes de la Lincoln, laquelle attendait cent mètres derrière nous.

« Cette fichue voiture noire nous rendit perplexes. Nous vérifiâmes qu'elle en avait bien après nous, en empruntant des routes secondaires. Puis en accélérant. Smith possédait un bon coup de volant. Bientôt, nous abordâmes une région montagneuse, déserte et escarpée. Nos poursuivants étaient implacablement à nos trousses. Nous nous perdions en conjectures. Qu'est-ce que ces gens pouvaient bien nous vouloir? Les vitres teintées de leur véhicule ne nous permettaient pas de les apercevoir et ajoutaient à notre angoisse. Smith perdait la tête. Il roulait à une telle allure au bord du précipice que je le suppliai de lever le pied. Mais il ne m'obéissait pas et ce qui devait advenir advint : ce pauvre docteur rata un virage et nous partîmes dans le vide. Mon cher Antoine, il ne se passe plus de nuit que je ne rêve à ce plongeon. L'horreur! L'attente! Cela n'en finit pas. Tout votre être est glacé, vos pensées patinent. Vous êtes l'épouvante en personne. Vous ne voyez plus rien, ne sentez plus rien. La notion de mort elle-même vous abandonne. C'est la trouille chimique ! La pétoche à l'état pur !

« Et puis, l'impact ! Par une chance prodigieuse (pour moi) nous atterrîmes sur les quatre roues. Ce fut un choc phénoménal, je crus que mes vieux os se brisaient tous en même temps et je restai anéanti mais conscient, sur mon siège. Bientôt, je fus environné de flammes. Par un prodige de volonté, je parvins à ouvrir ma portière et à me couler à l'extérieur. Avais-je détaché ma ceinture ou omis de la boucler ? Mystère. Je me laissai rouler sur moi-même à plusieurs reprises en une succession de tonneaux. Des arbousiers, des plantes épineuses stoppèrent ma descente. Je perdis conscience. Lorsque je revins à moi, la nuit était tombée. A ma grande surprise, je pus me remettre à la verticale sans grandes difficultés. La carcasse de notre voiture fumait encore. Je m'en approchai et constatai que le gentil petit toubib avait à présent la taille d'un garçonnet. Il était calciné à son volant.

« Il me fallut plus de deux heures pour remonter jusqu'à la route car je clopinais misérablement et la pente recouverte d'éboulis était raide. Une fois sorti du précipice, la chance recommença à me sourire : une camionnette survint, pilotée par un fermier de la région. Il s'arrêta. Je lui expliquai que je venais d'avoir un accident et il me conduisit à la localité la plus proche, me laissant devant le bureau du shérif. Au moment où j'allais m'y présenter, je ne sais quel signal d'alarme retentit sous mon crâne déplumé, Antoine. Mon subconscient me déconseillait de me manifester auprès des autorités. Une notion aiguë de danger m'envahissait. Je fis l'inventaire de mes poches. J'avais sur moi mes papiers, passeport compris, mon argent. Je n'eus dès lors plus qu'une idée : rentrer en Europe. Je frétais un taxi qui me ramena à Atlanta. De là, je pris un avion pour Washington. Plus le temps passait, plus ma frousse grandissait. J'avais réalisé que je m'étais aventuré dans des régions interdites. Ce que nous avions découvert, Smith et moi, nous condamnait. Il fallait que je quitte les U.S.A. de toute urgence pour rallier ma brave vieille France rassurante. Le premier vol qui partait pour l'Europe allait à Vienne. Depuis là-bas, la capitale autrichienne me semblait être une banlieue de Paris. Je le pris. Lorsque l'appareil quitta le sol et rentra son train d'atterrissage, je fus soulagé et je dormis pendant une bonne partie du vol. »

Son récit l'épuise, Félix. Sa voix se fêle et son souffle devient court.

— Marquons une pause, bon ami, conseillé-je. Cette évocation vous fatigue.

— L'asthme, murmure-t-il. J'ai déjà eu des symptômes en baisant, Antoine. Je tiens mal la distance, désormais. Jusqu'à récemment, je n'avais jamais remarqué que l'amour est un exercice physique. Qu'il nous malmène. La quête de la jouissance nous fait passer outre, mais ensuite, nous demeurons longtemps sur le flanc ! Et encore je ne suis pas gros ! Mais qu'en est-il des sexagénaires ventripotents ? S'il vous reste de la foi, priez pour eux, mon garçon. Et pour vous également qui serez vieux un jour. On apprend tout aux hommes lorsqu'ils sont jeunes, sauf qu'ils deviendront âgés et podagres. Cette éducation-là, il faut se l'inventer tout seul ; personne ne vous l'enseigne. On donne des cours d'éducation sexuelle, pas des cours de vieillissement.

Epuisé, il se tait. Dame Muelner prend le relais. Elle entre, tenant Toinet par le cou. Elle est radieuse. Me demande la permission d'aller « en course » avec lui. Ce que j'accorde volontiers.

— Bravo, souligne Félix, tu as fait sa conquête, petit !

Le garnement nous adresse une œillade canaille.

— Depuis qu'elle m'a fait un gros bisou sur le paf, elle est toute chavirée, nous dit-il. A propos, grand, j'ai vu sa bosse : pas terrible. C'est comme un dos, quoi, sauf qu'il est arqué.

Ils partent, bras dessus, bras dessous.

Quelque part dans l'appartement, une pendulette égrène des coups cristallins que je ne compte pas.

Il paraît avoir cent ans, Félix ! La peur qu'il continue d'éprouver le mine, le ratatine, lui fait une minuscule tête de nœud. Il devient colichocéphale. Pour l'assister, je lui pose la main sur l'épaule.

— Allons, du nerf, mon bon ami !

— Je vais y laisser ma peau, chuchote-t-il. Moi que la vie importunait, voilà que ça me fait chier de la quitter ! J'ai honte. Quand je pense trop fort à ma situation, je défèque, Antoine. Ce que c'est laxatif, la trouille !

DESSINE-MOI L'AVENIR

Il a mis du temps à retrouver son souffle. Je le regardais, en pigeant qu'il se trouvait dans la ligne droite qui mène au trépas. Qu'il avait accompli sa trajectoire et que, telle une braise propulsée hors de sa cheminée natale, il était en train de s'éteindre en retombant. Il avait beau s'insurger, regimber, déjà l'ombre de la résignation le gagnait, Félix. Ça me faisait pitié de penser à sa grosse bite pourrissante. Il s'était fourvoyé dans un étrange pot de merde.

Il a bu un troisième godet d'abricotine. Une odeur pas jouissive montait de lui. Peut-être venait-il de bédoler dans le pyjama trop grand? Pas beaucoup, juste un chouia entre ses fesses maigrichonnes.

— Peut-être souhaitez-vous faire votre toilette? lui ai-je indirectement suggéré, mais il a branlé le chef.

— Que non pas, Antoine. J'aime stagner dans ma crasse. Je pue? Si oui, pardon. C'est notre lot à tous. Mais d'une façon générale, les hommes se lavent trop, mon cher. On leur prêche l'hygiène, alors, naturellement, ils exagèrent. Dommage, car la crasse conserve. Elle est une gaine protectrice dont la vie courante nous tartine obligeamment. Mais nous, sombres cons livrés aux autans, nous nous empressons de nous en défaire, comme pour mieux nous mettre à nu, mieux nous exposer. Tout ce qui peut nous fragiliser, vous pensez qu'on ne va pas rater ça!

Il relève le bas de son pantalon, agite deux pieds plats, gris et variqueux.

— Admirez comme ils sont bellement crasseux, Antoine ! Entre les orteils surtout ! Et mon talon d'Achille ? Vous avez regardé mon talon d'Achille, Antoine ? Il est pratiquement croûteux comme un cul de vache savoyarde.

Il sourit.

— J'en avais marre de dégénérer, mon garçon, alors peu à peu je me laisse glisser à l'état sauvage. Je reviens aux sources. Je rentre dans la tanière ancestrale. Je voudrais retourner au fond des âges, avant le fer, la roue, le feu. Ne plus marcher mais danser sur mon derrière ! Ne plus parler mais émettre des cris !

Il balaie son rêve impossible comme les miasmes d'un renvoi d'ail, d'une main qui sait agiter l'air à bon escient.

— Il faut que je vous termine mon équipée, petit. J'en étais à l'aéroport de Washington. L'avion décolle. Je jubile. Je me crois sauf. Fort ! Comme un qui a la possibilité d'offrir ses organes à la science, ce qui n'est plus mon cas. Là est la preuve imbécile du vieillissement, mon garçon, lorsque votre bidoche est devenue irrécupérable. Que vous ne pouvez plus léguer vos reins mités, votre cœur en arythmie, vos poumons percés, votre moelle liquéfiée, vos yeux frappés de cataracte et, moins que tout, votre foie cirrhosé. Vous n'êtes plus qu'un assemblage d'avaries fonctionnant sur la vitesse acquise. Un ensemble de maladies composant un homme réputé bien portant. Que vous disais-je ? Washington, l'avion pour Vienne, et moi béat comme le mulot que surveille la buse planante !

« Je débarque ici. Le confort, la douilletterie teutonne. Pas complètement teutonne, mais presque. Je respire un air de liberté. Que je crois ! De délivrance infinie. Que j'imagine ! Sot ! Triple sot périlleux ! Je cherche un vol pour Paris. Pas avant demain ; celui de la journée est parti. Qu'à cela ne tienne ! A moi le Prater, le Danube, la Grande Roue ! Je descends dans un hôtel, voyageur sans bagages. J'explique que les miens ont été égarés à Washington. Une chambre quiète, avec une couette onctueuse sur le lit. Je me couche. Je dors magistralement, l'âme en fête. Tout juste s'il subsiste quelque part dans mon esprit un bout de pitié pour le pauvre docteur Smith. La vie ! Vous avez beau réchauffer vos nobles instincts au bain-marie, ça reste chacun pour soi et Dieu pour moi ! Ce que j'éprouve dans ce demi-sommeil ressortit de la volupté authentique.

« En fin de journée, je m'offre une douche, au diable mes principes ! Remets mon linge fané et pars à la recherche d'un restaurant viennois.

« Je musarde le long des rues. Il fait frisquet, mais ça réveille. Soudain, une auto stoppe à ma hauteur. A l'intérieur, deux créatures de rêve. Des filles superbes et de grande allure. Manteaux d'astrakan, toques de renard noir. Un côté exquisement rétro. Celle qui est à la place passager me murmure :

« — Vous venez faire une promenade avec nous ? »

« Moi, Antoine, vous me connaissez ? Avec ce que je traîne entre mes vieilles jambes, il m'est impossible de décliner. Je monte. Une troisième fille que je n'avais pas remarquée, se tient à l'arrière du véhicule. Une petite brune vêtue de cuir noir, elle. Pantalon, blouson. L'air d'un adolescent. Et que fait-elle ? Ah ! mon cœur manque me sortir du corps par la bouche : elle tient un revolver nickelé braqué sur moi. Sa main armée repose sur l'accoudoir central et le vilain groin chromé ne bronche pas. Que me passe-t-il par la tête alors ? Impossible de vous le dire. Quelque chose de similaire en tout cas à ce que j'ai éprouvé pendant mon plongeon de la veille dans le ravin. Je m'entends dire :

« — Bonjour, mes jolies demoiselles. »

« Et puis je rouvre la portière et me jette hors de l'auto alors qu'elle démarre, prenant tout le monde de court ! Un vieux génaire égrotant ! Je m'attends à recevoir des balles dans le dos, cependant, je fonce sans me retourner jusqu'à une brasserie toute proche.

Heureusement, la circulation est dense. Je pénètre dans l'établissement et vais prendre place à une table. Une accorte serveuse s'approche sans me laisser le temps de respirer. Je commande une bière. Je me sens maître de moi. Et pourtant je suis fou de terreur. Mais que me veut-on, grand Dieu ! Ma peau ? Elle ne vaut pas tripette. Je bois ma bière. Par les vitres de la brasserie, je repère la fille en cuir noir sur le trottoir. Elle parle avec l'une de ses compagnes : celle qui m'a dragué. Ces foutues femelles ne me lâcheront pas. Que dois-je faire ? Appeler la police ? Me placer sous sa protection ? On me prendra pour un vieux toqué car j'ai une tête de vieux toqué, si, si, je sais ce que je dis, Antoine, inutile de vous récrier.

« A cet instant de haute tension, je sens un regard posé sur moi. A la table voisine de la mienne se tient une vieille femme bossue. Style bourgeoise. Elle a défait son manteau de fourrure qui repose autour de son séant sur la banquette. Savez-vous ce que fixe cette rombière, Antoine ? Ni plus ni moins que mon sexe ! Car le phénomène est là, Antoine : je bande ! La peur me met en érection. Une érection impétueuse qui fait craquer mes amarres. La dame a repéré le fait. Elle en est hypnotisée. Alors, il me vient une idée de génie. En douce, je rapproche ma table de la sienne. Avec lenteur je lui prends la main et la dépose sur mon tumulte intime pour lui faire constater que ce n'est pas un lapin clandestin qui s'énerve dans ma culotte. Le contact la comble.

« — Vous habitez seule, *Frau ?* » susurré-je.

« Elle opina. Je l'aurais parié ! Son âge, sa bosse plaidaient pour une existence solitaire.

« — Vous m'inspirez un indescriptible désir, *Frau,* lui débitai-je. Accepteriez-vous que nous vivions des instants de folie, vous et moi ? »

« Elle a fait un couac que je décidai de prendre pour un acquiescement.

« — Merci, murmurai-je, pour peu que vous disposiez d'un pot de vaseline, voire d'une simple plaque de beurre de ménage, vous allez être comblée. Seulement, nous devons prendre des précautions car je suis filé par une femme jalouse qui a décidé de me tuer ; aussi, voici ce que je vous suggère : je vais enfiler votre manteau de fourrure et coiffer votre toque. Grâce à ma maigreur, l'un et l'autre devraient m'aller. Nous sortirons bras dessus, bras dessous comme deux bonnes amies et ainsi ne serai-je pas reconnu. »

« Elle était à ce point fascinée par mon anomalie, Antoine, que j'aurais pu la faire marcher à quatre pattes avec moi sur son dos de dromadaire. Nous sommes sortis enlacés. J'avais de surcroît noué son foulard autour de mon visage. Nous sommes passés à deux mètres de la fille en noir. Ses copines se trouvaient à proximité dans leur automobile. Nous nous sommes éloignés lentement. La vieille grelottait de se trouver sans manteau par le froid continental qui règne en cette saison sur cette ville. Pour la réchauffer, je lui racontais ce que nous ferions parvenus à son domicile. Nous avons atteint celui-ci sans encombre. Cela fait quarante-huit heures que je m'y terre, payant mon écot de la façon que vous savez. J'aurais pu essayer de filer, mais je ne m'en sens pas le courage. L'on doit surveiler les hôtels, les gares, l'aéroport, Antoine. Je suis devenu un homme traqué. Moi, l'être le plus inoffensif de la planète ! Moi, le vieux misanthrope à la queue de mulet ! Traqué comme un vulgaire mafioso délateur ! »

Il me tend ses deux pauvres mains pareilles à deux gants de cuir vides.

— Ai-je encore une bribe d'avenir, Antoine ?

— Tant qu'on possède le présent, on peut espérer avoir un avenir, Félix.

— Qu'entrevoyez-vous, pour me sauver la mise ?

— Eh bien, tout d'abord, vous faire rentrer en France. Ensuite, organiser à Paris une conférence de presse au cours de laquelle vous raconterez aux médias rassemblés ce que vous venez de me raconter à moi !

Son effarement ferait déféquer une mouche scatophage.

— Vous n'y pensez pas !

— Je ne pense qu'à cela, au contraire. Réfléchissez, mon cher ami : pourquoi cherche-t-on à vous neutraliser ? Parce que vous *savez* quelque chose *qui doit être tu.* Ce qu'est le quelque chose ? Le fait que vous ayez établi une corrélation entre l'arrestation des deux femmes au motel du fils Ferguson et l'épidémie de variole ayant sévi dans le Maine. Il est bien évident que le container que le vieux a trouvé renfermait le virus de cette foutue maladie. Comme l'une des ampoules s'était brisée, il l'a contractée. Ensuite, il est allé la propager dans son bled, près d'Augusta. Vous et Smith, tout flambards, avez couru à la police d'Atlanta y faire le rapport de votre découverte. Les flics ont transmis vos déclarations en haut lieu. Les huiles de la Santé ont immédiatement réagi. Ce devait être *top secret.* On a transmis à la C.I.A. et lancé des gars à vos trousses, avec pour mission de vous liquider. Ils ont failli réussir et le petit docteur Smith est mort. Mais il reste vous. Retrouver votre trace après votre sortie du ravin n'a rien eu de difficile, d'autant que vous avez pris votre billet d'avion sous votre véritable identité. Selon moi, ils ont dû découvrir votre embarquement pour Vienne alors que vous voliez au-dessus de l'Atlantique. Ils ont eu le temps d'établir un comité d'accueil pour ici. Ils auraient pu vous abattre à distance, mais ils tenaient à savoir si vous aviez déjà parlé, et à qui.

« Il est probable qu'on vous aurait salement « cuisiné » avant de se débarrasser de vous. Et maintenant, j'en arrive à ma démonstration initiale, Félix : c'est en clamant votre secret aux quatre vents que vous conjurerez le danger. Dès lors que tout le monde le connaîtra, il n'y aura plus aucun motif de vous faire taire ! C.Q.F.D. »

Il a l'œil brillant, humide.

— Puissamment raisonné, mon petit, murmure-t-il. Lumineux comme les ouvrages de Jacques Attali et presque aussi intelligent. Reste à déterminer comment vous allez m'arracher de là.

— Le plus aisément du monde, assuré-je. Nous bénéficions d'un atout maître, Félix : ils ont perdu votre piste et ne l'ont pas encore retrouvée. Oh ! je me doute qu'on doit remuer ferme de leur côté pour découvrir de quelle façon ingénieuse vous avez pu quitter la brasserie sans être vu. Ils vont finir par connaître la vérité. Il y avait des clients autour de vous. Des gens qui, fatalement, vous auront vu enfiler le manteau de la vieille et mettre sa toque, ce qui n'est pas fréquent. Ils sont à la recherche de ces gens. Quand ils sauront votre subterfuge, ils dresseront un portrait robot de votre bossue, lequel sera éloquent. Bref, ils finiront par rappliquer. Donc, il faut agir presto. Je vais louer une bagnole. Pendant ce temps, resservons-nous d'un truc qui vous a déjà réussi : déguisez-vous en femme. Puisez dans la garde-robe de la vieille sorcière. Maquillez-vous. Mettez une voilette... Nous partirons alors avec mon gamin et filerons en direction de la Suisse ou de l'Italie.

Il a les yeux humides, Félix. Les lèvres qui tremblent.

— Oh ! Antoine, vous croyez que nous allons réussir ?

— Les doigts dans le nez, mais il n'y a pas une minute à perdre. Le jeu consiste à filer avant qu'ils n'arrivent.

— Mais même s'ils surviennent après notre départ, Gretta, cette antédiluvienne salope leur racontera tout : votre arrivée, mon déguisement...

Je ne néglige pas l'objection.

— C'est en effet probable, Félix. En ce cas nous l'emmènerons avec nous. Commencez déjà vos préparatifs, je vais m'occuper de la bagnole !

— Prenez cela, Antoine.

Et il me glisse une liasse de biftons verts dans la fouille :

— Qu'est-ce que c'est ?

— Mes vingt mille dollars. Je préfère que ce soit vous qui les gardiez.

DESSINE-MOI LA FILLE DE L'AIR

Je sors de l'immeuble innocemment, une main dans la poche, l'autre en balancier. File un large coup de saveur sur la noble place. Elle paraît quiète à cent pour cent. Nul badaud suspect, pas de bagnole à l'arrêt avec un passager à l'intérieur. La vie viennoise est là, simple et tranquille. Je me dirige vers une station de taxis et demande à l'un d'eux de me conduire à la gare. Une fois à destination, je découvre une agence de location de bagnoles et y loue une Audi 200 break, noire, qui me fait songer à un corbillard que j'ai beaucoup aimé.

Il y a encore, dans la vieille Europe, des pays qui ne vivent pas mais qui fonctionnent bien, et j'ai l'impression que l'Autriche est de ceux-là. Pas besoin d'avoir son bac à choléra, comme dit Béru, pour comprendre qu'ici les pendules sont à l'heure, les commerçants honnêtes et les routes regoudronnées chaque année. M'est avis que si l'archiduc Roro s'est praliné la coiffe, c'est parce qu'il se faisait tartir comme un pou sur une tronche de chauve. J'aurais tellement de mal à m'acclimater dans une nation pareille que je préférerais aller apprendre aux Pygmées à jouer au scrabble.

Muni de ma tire, je retourne Platz am Hof. Des mélancolies pas très discernables me taraudent. Dans le fond, une certaine veulerie me gagne et je regrette d'avoir eu l'idée saugrenue de téléphoner à Maria depuis l'aéroport. Sans ce coup de turlu, on serait à

Abano à cette heure, à regarder bouillonner la terre qui sent le soufre, en compagnie d'une Félicie radieuse, et on claperait des *lasagne verde* en écoutant gazouiller en rital les premiers pinsonnets du printemps.

Au lieu de cela, faut que j'arrache cette vieille fripe de Félix à ses tourmenteurs. Et qu'est-ce qu'il va en faire, le vieux gros paf, de son rab d'existence, si je parviens à le sortir de la mistouille ? Il ira encore montrer sa monstrueuse queue dans le métro, sous prétexte que l'exhibitionnisme est un langage ? Ou bien calcera-t-il d'autres douairières très abominables, borgnes, unijambistes, bardées de fibromes inexpugnables ? Ça sert à quoi, la fin de vie d'un Félix ? Quand, selon ses propres paroles, il ne tient plus à l'existence que poussé par un stupide instinct de préservation ? Les mecs d'Atlanta voudraient stopper sa durite d'admission pour le nazer express, le vieux rigolo. Et puis après ? Clamser d'eux ou du temps, hein ?

Je sonne. Une dame à lunettes vient m'ouvrir. Peinte comme les chefs indiens des westerns pour rire, ou comme Alice Sapritch au Gala de l'Union. Tu dirais la maman de Mrs. Thatcher. Elle porte une longue robe dans les tons violine, un manteau noir en drap avec un col de velours. Elle a une capeline munie d'une voilette et des souliers à talons mi-hauts qui donnent l'impression qu'elle marche avec ses rotules.

— Vous n'avez pas fait long, Antoine, me félicite la baronne.

— Vous non plus, ma chère ! La réussite est totale. Maintenant, allons-y !

— Mais Gretta et le petit ne sont pas encore de retour ! objecte la grande Félix.

Merde ! Le grain de sable ! Quelle idée saugrenue a eue la morue desséchée d'emmener Toinet avec elle ! Si le môme était resté *at home,* nous aurions pu nous esbigner en loucedé et la mégère n'aurait même pas su que Félix était fringué en grande bourgeoise.

— Où ont-ils été ? bougonné-je.

— Ça, je l'ignore, répond le professeur.

On se met à attendre et chaque minute qui passe me lime les nerfs ! Etre paralysés par un détail aussi idiot ! J'en chialerais dans ma culotte ! Ce serait le comble qu'on se fasse poirer in extremis, simplement parce que cette truie vétuste a voulu se promener avec le garçonnet qu'elle n'hésiterait pas à violer dans ses débordements gériatriques ! Ça a eu sa ménopause avant guerre et ça ramasse encore du fion ! Une ancêtre délabrée, bossue, fripée, flasque de partout, qu'on flanquera dans sa boîte à dominos avec une pelle à tarte quand elle sera zinguée, y a de l'abus !

— Savez-vous piloter une voiture, Félix ? je lui demande à brûle-torchon.

— Moi ! Quelle horreur ! Pourquoi pas une fusée interspatiale pendant que vous y êtes, Antoine !

— Bon, décidé-je, en ce cas je vais vous évacuer quelque part, dans un lieu plus sécurisant, après quoi je reviendrai chercher mon môme.

Il ne demande que ça, l'ancien pédago. Le plancher de la mère Gretta commence à lui roussir la plante des pieds ! Il aimerait bien aller exister plus loin. On se carapate en vitesse, gagnés par une frénésie que nous nous entretenons mutuellement. Je regarde la place avant de l'inviter à quitter l'immeuble. Apparemment tout est *clean,* mais sait-on jamais ! Le dos arrondi comme celui de sa maîtresse d'occasion, il trottine en direction de l'Audi.

Je l'aide à s'installer dans le carrosse et, avant d'y prendre place moi-même, sonde une dernière fois les alentours pour essayer de repérer un danger et également avec l'espoir de voir réapparaître Toinet. Mais rien ne se signale à mon attention vigilante, c'est pourquoi je prends la tangente. Rapidos, je me dépote du vieux quartier pour gagner Herrengasse.

— Vous avez une idée ? demande timidement mon compagnon.

— Pas encore, mais ça va venir, c'est l'heure où j'ai ma trouvaille quotidienne.

L'enjeu consiste à déposer mon vieux pote en lieu

sûr, pas trop loin de la Plaz am Hof afin que je puisse rapidement aller récupérer le moutard. Je ne vois guère qu'un hôtel pour accueillir dame Félix, mais ce genre d'endroit ne m'inspire guère confiance car c'est toujours là que se portent les recherches lorsqu'on veut mettre la main sur un gazier en cavale.

— Avez-vous de l'argent autrichien sur vous ? m'enquiers-je.

— Non, mais j'ai encore des dollars.

Je lui tends une petite liasse de schillings.

— Pas la peine de vous faire remarquer : prenez ça. Maintenant, voilà la conduite à adopter : vous allez prendre une calèche et vous faire conduire à la cathédrale Saint-Etienne, proche de la Platz am Hof. Vous la visiterez consciencieusement : elle a huit cents ans et mérite le détour. Restez-y jusqu'à ce que je vienne vous y récupérer. D'accord ?

— A vos ordres, mon commandant !

Je roule encore un peu afin que sa course en ville soit de quelque importance, puis je le libère, et la « digne vieillarde » s'approche d'une calèche. En l'escaladant, elle prend sa jupe dans le marchepied et en déchire vingt centimètres ; ce qui laisse apercevoir les caleçons longs du professeur.

Allons, ça commence bien !

***

Nous voici encore seuls.

Comme ça qu'il commence son *Mort à crédit,* Céline. Et tout de suite après, il ajoute (je peux te citer de mémoire) : *Tout cela est si lent, si lourd, si triste.*

Moi, me voici encore seul !

Seul chez la poupette autrichienne qui, décidément, est partie vivre sa vie avec Toinet ! Trois plombes au moins qu'ils ont mis les adjas et ils ne sont toujours pas rentrés.

Je morfonds comme un gueule d'hauboïste (personnage affligé de la gueule de bois). Qu'est-ce qu'il lui prend, à la mère Gretta, de faire l'école buissonnière ?

Sa cuisine est pas racontable. Si Saint-Marc-Ménage se pointe pas, ce sera la Berezina pour Lady Fantôme. Avec Saint-Marc-Ménage, là, elle s'en tire si j'en crois leur pube. Tu la connais ? Un couple rentre chez lui et fait la grimace devant sa cuistance dévastée par le séisme des chiares. Le mec surtout est scié. A lui la partie de biceps ! Lugubre, il retrousse ses manches et se met à frotter comme un galérien. Mais zob ! Ça part pas ! Heureusement, sa gonzesse malicieuse a une boutanche de Saint-Marc-Ménage. Alors, c'est le miracle. En deux aspersions, ça rutile pire que chez Cartier et le couple peut aller limer à tout va. Grâce à Saint-Marc-Ménage ! Sans lui, le coup de bite passait à l'as, tu penses, fourbu comme le mec l'aurait été !

Moi, cette situasse me défrise singulièrement. Elle prend mauvaise mine, je trouve. Toinet en cavale avec une vieillarde érotique, Félix travesti en dame patronnesse et visitant une cathédrale. Des tueurs qui rôdent ! Et moi, la reine des pommes, en train de me branlocher les couennes ! C'est l'heure de la journée ou m'man doit m'écrire une longue bafouille tendre après avoir tiré une salve de cartes postales contre les amis et connaissances.

Elle me raconte sa petite vie creuse de « curiste » : sa boue, les repas ritournelles de son hôtel (où « ils » parlent le français comme toi et moi et sont aux petits soins pour elle). Et puis ce vieux couple belge, les Van Tratter, bientôt septante balais ! Quand le monsieur est arrivé à Abano, il pouvait à peine marcher et c'était madame qui lui décarpillait sa braguette lorsqu'il devait licebroquer. Au bout de huit jours, il marche sans cannes, Antoine ! Et il coupe sa viande soi-même.

Je la lis à distance, sa lettre, Félicie. Elle ponctue avec son cœur et y a toujours une larme séchée sous la signature.

Un coup de sonnette déchire le silence funèbre du vieil appartement. Il ne me réjouit pas, vu que mémère a ses clés. Alors ? Ben, ce sont probablement les gens qui traquent Félix, que veux-tu que je te dise, Louise ! Quand on redoute trop fort une chose, elle finit par se produire. En tout cas, pour moi c'est comme ça. Je redoute et ça se produit.

Je me sens un peu déshabillé pour les accueillir, n'ayant pas la moindre arme à ma disposition. Quand tu pars rejoindre ta vieille mère pour un week-end prolongé tu n'emportes pas ton parabellum, généralement. D'autant que dans les aéroports ils n'apprécient pas ce genre de bagage accompagné.

Je vais ouvrir courageusement, en me tenant un peu sur le côté toutefois, pour si un futé seringuait la lourde en entendant tourner le loquet. Je me trouve face à un commis épicier en uniforme, coltinant sur l'épaule un carton bourré de denrées. Il m'explique que ce sont les achats de Mme Muelner qu'il livre.

Il doit venir souvent car il se rend à l'office tout en parlant et dépose le carton sur la table. Machinalement, je lui attrique un pourliche. Il se confond en remerciements enamourés.

Je lui demande s'il y a longtemps que la dame a passé commande. Il répond qu'au moins trois plombes. Elle est venue au magasin avec un petit garçon français qui lui réclamait quelque chose. Comme la vieille ne parlait pas le français, c'est Mme Tartmöl, la caissière, qui a servi d'interprète car elle est mariée à un Martiniquais. Le gosse voulait que *Frau* Muelner l'emmène sur les manèges du Prater. Il avait entendu parler de la Grande Roue et tenait absolument à y aller. Gretta a promis. Elle a même prié la caissière de lui appeler un taxoche par téléphone et ils sont partis. Voilà qui explique leur retard. Je connais le citoyen Toinet. Cézigue, une fois à la fête foraine, t'as le bonjour d'Alfred pour l'en extirper.

Je continue donc d'attendre. Félix a eu le temps de visiter la cathédrale de la crypte au clocher. Il serait peut-être opportun que j'aille le récupérer avant que l'édifice ne ferme ou s'écroule ! Sale gosse d'Antoine !

C'était bien le moment d'entreprendre sa tournée des grands huit ! On est là à se démener comme des diables et messire Gavroche se goinfre de barbe à papa et de manèges, le petit con ! Les questions de vie ou de mort, lui, il s'en torche le fion !

Moi, je craque, mon pote ! La nervouze en pelote ! Et serrée ! J'en ai quine de moisir dans cet appartement sinistros qui pue le rance, le vieux harnais de duègne, la mauvaise frigousse !

Je vais puiser dans le carton de mémère. Y a justement de la charcutaille viennoise. Du fumé ! Entre deux tranches de biscotte je dépose de la mortadelle et du salami. Je bouffe voracement. J'en veux à la terre entière, en commençant par moi, toujours partant pour les missions à la flan.

Une fois mon sandwich clapé je me dis que bon, y a pas, faut récupérer Félix. Je lui savaterai le prose, à Toinet ! Graine de voyou ! Saleté de chiare ! Tu veux sauver l'humanité et comme remerciement elle te fait chier !

Je me casse, furibard. Bon, je vais récupérer le vieux tordu de Prof et j'en fais quoi ? Une mesure pour rien ! A quoi ça aura servi que Ducros il se décarcasse, tu me le dis, bouffi ?

En cette toute fin d'après-midi, la cathédrale est presque vide. Juste un petit groupe de Japs « Canonisés » de pied en cap s'obstine à flasher chaque centimètre carré de l'édifice. Tout y passe : les statues, le chemin de croix, les piliers, les confessionnaux et jusqu'aux grilles des calorifères. Des scientifiques de la pelloche, les Jaunets. Tu crois qu'ils font développer leur provende en rentrant dans leur termitière ? Et si oui, que peuvent-ils bien branler de cette formidable quantité d'images dans leurs appartements-clapiers ? Moi, ça m'intrigue, leur mentalité. Ce sont les Martiens de la planète Terre. Des gonziers d'ailleurs. Ils n'ont pas de matières premières, alors ils fabriquent de la main-d'œuvre. Ils transforment, tu comprends? N'importe quoi, ils en font autre chose et en inondent l'univers. Des insectes moines! Le boulot comme religion!

Je me mets à cavalcader dans la cathédrale. Je visite les chapelles, je mate l'intérieur des confessionnaux, fais le tour du chœur. Impossible de visiter le clocher, lequel est en réparation une fois de plus (car il a dérouillé dur au fil des siècles). Je passe rapidement en revue le bestiaire de pierre (reptiles, oiseaux, dragons), Samson combattant le lion, Jésus et ses apôtres. Il y a de tout dans ce monument de la foi : du roman, du baroque, du gothique. De tout, même des Japonais; il y a de tout, sauf du Félix. Le vieux genou en est absent comme la notion de fraternité universelle dans le bon œil de Jean-Marie Le Pen.

Putain, mais c'est donc la vraie vérole! Ou plutôt non : la vraie variole! Où est-il passé, l'ancêtre? A-t-il perdu patience? Je ressors et, depuis le parvis examine la place. J'avise une marchande de cartes postales et de gris-gris en train de rengainer son éventaire. C'est une jolie brunette aux yeux de la pisse de la Julie, comme dit le poète Alexandre-Benoît Bérurier dont l'œuvre est en cours d'impression dans la Pléiade.

Elle porte une jupe droite, un gros pull à col roulé qui met en évidence une paire de seins admirables. T'ajoutes une cicatrice sur la joue droite et un sourire triste et t'obtiens une frangine bonne à sortir (le soir) et à rentrer (la nuit).

Je l'aborde civilement. Blabla. Le canevas? Je cherche ma vieille mère avec qui j'avais rendez-vous. Description fouillée de « maman ». La très mignonne personne réfléchit. Je précise davantage encore le portrait de la vieille Félix : elle a des rhumatismes et marche en se tordant les paturons. Là est le bon détail. Voilà qu'elle se souvient, *Fräulein. Ja, ja,* elle retapisse ! Une dame plutôt grande, n'est-ce pas ? Voûtée, avec des lunettes derrière sa voilette ? *Ja, ja,* c'est banco. Je lui roule une œillade qui est la mort des petites culottes.

— Il y a longtemps qu'elle a quitté la cathédrale ?

— Oh, *ja :* plus d'une heure !

— Quelle direction a-t-elle prise ?

— Elle est montée dans l'auto de la dame qui l'accompagnait.

Coup de boutoir au plexus san-antonien !

« La dame qui l'accompagnait !

« La voiture de la dame qui l'accompagnait ! »

Mort de mes os !

— Une dame comment ? m'entends-je murmurer d'une voix fluide comme une diarrhée de chaton.

— Une demoiselle, plutôt. Jeune, brune, avec un ensemble de cuir noir !

Ah ! pleure, San-Antonio infortuné. Tu n'auras donc tant lutté que pour subir ce cruel échec ?

Mes jambes trembillent sous moi. Faudra qu'on leur adjoigne une armature d'acier. La marchande de touristeries achève de remballer son compliment. Une fois tout bien rangé, ça donne un paquet de la dimension d'une valise moyenne.

— Dites, *Fräulein*, elle était comment, l'auto ?

Elle hausse les épaules.

— Je ne me rappelle plus. De couleur sombre, il me semble.

— Et elle est partie dans quelle direction ?

Nouvel haussement de ses exquises épaules.

— La place est en sens giratoire.

Ben oui, bien sûr. De plus, ça n'a pas marqué sa vie, à cette ravissante petite marchande. Chaplin reviendrait, il l'engagerait pour un *remake* des *Lumières de la ville.*

Alors, le gars Bibi, histoire de défier le sort, balance :

— Vous accepteriez de dîner avec moi ce soir, *Fräulein ?*

Faut être inconscient, non ou quoi ?

— Pourquoi pas ? répond-me-t-elle.

Des comme moi, t'en retrouveras jamais plus, je te jure !

DESSINE-MOI

A vingt heures, la bossue et Toinet ne sont toujours pas rentrés. Cette fois, c'est la fin de tout ! Niqué à mort, il est, ton Sana chéri. Seul dans Vienne. Bassement humilié. Il a laissé enlever Félix et son gentil Antoine. Tout s'écroule : veau, vache, cochon, cuvée réservée ! Attila est passé par là ! Terre brûlée. Rasibus ! Morfondant.

Alors que fait-il, l'héroïque commissaire en disponibilité ? Il téléphone à Paris. Parce qu'il se sent désemparé, le pauvret. Orphelin ! Que dira Félicie quand elle apprendra la disparition du garnement ? Elle l'aime, ce chiare. Pas autant que moi, naturellement ; pas comme un fils, plutôt comme le petit-fils que je lui laisse espérer mais qui reste dans mes choses.

La voix grumeleuse d'Alexandre-Benoît Bérurier me devient musicale. M'ayant reconnu, il s'empresse de me roter dans l'oreille et son exhalaison d'amateur de bulles me chavire.

— Où est-ce que tu es-t-il, Sana ? On t'a attendu toute la journée à l'agence, moi et le négro ; tu crois qu'c't'un ciné d'cure ? On est en prise dirèque av'c les futés d'Courbevoie qui fabriquent des faux talbins et l'Dabe impatiente. Y voudrait donner le lasso à leur imprimerie, s'l'ment...

— Béru ! coupé-je. J'encule tes faux-monnayeurs, je

sodomise le Vieux et je suis prêt à te pisser à la raie si tu ne la boucles pas pour m'écouter.

Comprenant que c'est gravissimo, il se tait. Je lui résume les chapitres précédents avec ce sens de la concision et de la circoncision qui me vaut l'admiration des rabbins. Intéressé, le Gravos m'esgourde.

— Si je comprends bien faudrait qu'j'vais t'rejoinde, mec ?

— Le plus tôt serait le mieux, confirmé-je.

— J'saute dans le T.G.V. et j'arrive. On pourrait aller claper au *Restaurant de la Pyramide*, non ?

J'émets en sourdine une ligne de points d'interrogation et d'exclamation alternés. Puis, réalisant sa méprise, je fulmine :

— Je ne suis pas à Vienne, Isère, mais à Vienne Autriche, fleur de bidet !

Béru marque un temps et murmure :

— C'est quoi, l'Autriche ?

— *Le Beau Danube Bleu*, ça te dit quelque chose ?

— Yvette Horner, non ?

Mon soupir doit créer une bourrasque dans les poils de ses portugaises.

— Jérémie est-il là, Gros ? gémis-je, assoiffé d'interlocuteur valable.

C'est un petit restaurant, près du Prater. Spécialités d'Europe centrale. Le meilleur goulasch de la ville, assure ma conquête. Elle est saboulée de première, la chérie. Robe de lainage noir avec de la dentelle également noire pour voiler (si peu) son décolleté. Un tour de cou à quatre rangs de perlouses, des boucles d'oreilles, en perles aussi. Elle s'est pointée au volant d'une vieille Triumph décapotable (capotée biscotte le froid). M'est avis qu'elle en dépote des cartes postales, *Fräulein*, pour pouvoir se harnacher de la sorte et rouler dans une tire de ce style. Ou alors, elle a des à-côtés. Cela dit, j'en doute. La frangine qui affure avec ses miches ne va pas risquer des fluxions de poitrine sur une place, à fourguer des petites conneries aux touristes ! Son maquillage du soir (espoir) la fait rutiler de la frime. Un regard comme le sien, pas besoin d'être aveugle pour le convoiter. Les trois quarts des gonzesses du globe se feraient damner pour l'avoir de chaque côté du nez.

En tout cas, ça la rend pas bégueule. La gentillesse même, ma jolie Viennoise ! Enjouée, pétillante. Et moi, en la regardant, en l'écoutant, je m'invective *in petto*. Me traite des pires noms, me balance les pires insultes. Mon fils adoptif a disparu, mon vieux pote Félix a été kidnappé et je suis là à rouler mes mirettes de velours à une marchande de cartes postales, au lieu d'essayer de les retrouver. A part un S.O.S. à mes archers, je joue *Rêve de Valse*, et commande un goulasch qui ferait saliver une râpe à fromage ! Faut t'y faire : j'ai des trous, comme ça. Des passages à vide. Faut pas chercher à piger la démarche mentale du bonhomme. Dans le fond, ça rejoint une certaine forme de mortification.

— Vous avez retrouvé votre maman ? me demande-t-elle.

— Oui, merci.

— Vous êtes belge, suisse ou français ? s'inquiète-t-elle.

— A votre avis, qu'y a-t-il de pire ?

— Français ?

— Bravo ! Vous venez de gagner une nuit d'amour.

— Avec qui ?

— Avec un Français !

Elle éclate de rire.

— Vous habitez l'hôtel ?

— Non, chez une tante par mésalliance : elle a épousé un Autrichien.

Et toc, égalité.

— La fille en cuir noir, c'est votre cousine ? imperturbe-t-elle.

— Germaine.

— Vous avez paru paniqué, tout à l'heure quand je vous ai parlé d'elle ?

— Non, simplement contrarié. Il y a eu une méprise, c'est moi qui devais venir chercher maman à la cathédrale.

Cette converse creuse me déprime. Et puis alors on mange des hors-d'œuvre viennois qui ressemblent à des hors-d'œuvre parisiens, sauf qu'on les clape à Vienne.

Elle me demande ce que je fais dans la vie. Je lui réponds ce qui me déferle par la tronche et que j'oublie sur l'instant parce que ça n'a vraiment aucune importance et n'en aura jamais la moindre.

— Quelque chose vous préoccupe ? demanda-t-elle.

— Ça se voit ?

— On peut savoir ?

— Je me suis lancé un pari à propos de la couleur de votre slip et j'ai hâte de vérifier si j'ai gagné ou perdu.

Elle me regarde bizarrement.

— Français, vous avez dit ?

— Entièrement, sculpté dans la masse !

— Oui, cela aussi ça se voit.

Elle continue de claper. Je la trouve vachement belle. Sa beauté croît d'instant en instant, bientôt elle va déborder dans mon kangourou et ce sera l'incendie de Chicago ! Mais elle n'est pas encore à l'horizontale, la gosseline. Elle vendait des cartes postales, et aussi des crayons ! Pauvre Bourvil ! Un type qui chante ça, tu t'imagines pas qu'il puisse mourir. Tous ceux qui font les cons, comme lui, moi et d'autres, devraient avoir droit à une immortalité de faveur. On se grouperait, on aurait gain de cause. Toujours doléer en masse. L'avenir, c'est le rassemblement des valeurs. Déjà, on ferait un holdinge avec Cavanna et Boudard, on élargirait notre marché (je sais que je devrais écrire « son » marché, à cause du « on », mais j'ai jamais eu la prétention d'écrire en bon français, je ne suis pas mécanicien-dentiste !).

Quand je dis que ma vendeuse de cartes postales n'est pas encore à l'horizontale, j'entends qu'elle doit faire un tas de giries avant de se laisser calcer. Faut y mettre les formes. Elle veut qu'on la respecte, tu comprends ? Surtout à cause de son négoce ambulant qui fait vachement chip, à première vue.

Les frangines sont attendrissantes : elles se figurent que pour faire respectable, il ne faut pas dire oui tout de suite. Le mecton doit essuyer quelques rebufferies avant la chevauchée cosaque. Comme ça, l'honneur est sauf ! Seulement, où je les nique, c'est par ma connaissance profonde et indélébile de la nature féminine. La gerce à qui tu proposes la botte, quand elle te gifle pas, c'est qu'elle accepte. La nière à laquelle tu souris et qui te sourit a déjà un pied dans ton lit et sa boîte de préservatifs à la main. Ce qui s'intercale entre cet instant et la bioutifoule renversée, c'est du remplissage, de l'étoupe, une concession à l'amour-propre. Mais moi, en baiserie, je ne connais qu'une forme d'amour-propre et elle s'opère à cheval sur un bidet.

— Il y a longtemps que vous vendez des cartes postales ?

— Depuis ma sortie de la faculté. Je voulais m'orienter vers la recherche scientifique et puis ma mère qui tenait l'éventaire est morte. Alors j'ai continué son petit négoce car il est d'un excellent rapport.

Le destin infléchit souvent nos nobles ambitions. Combien ont abandonné la médecine pour reprendre le restaurant paternel, ou la robotique contre un tir forain ? Dans les affrontements picaillons-vocation, c'est presque toujours les picaillons qui gagnent. Le papa de Louis Pasteur aurait tenu un bordel, peut-être continuerions-nous à crever de la rage ?

Elle, elle affure en vendant ses petites conneries, tant mieux pour elle. C'est sûrement la sagesse. Il faut pas beaucoup de fric ni beaucoup d'espace pour exister. On croit toujours, à tort, qu'on a besoin de plus. On convoite les grandes propriétés, les grandes bagnoles, les grands honneurs. Quelle culterie ! Tu t'éclates davantage avec un studio, un plat surgelé, une 2CV

Citroën, et l'estime de ta concierge. Tu vis en tout cas mieux ton vieillissement, cette croisière immobile.

Et moi, le traczir m'empare à propos de Toinet. Ça me gronde dans les entrailles comme après trop de yaourt. Je dis :

— J'aimerais que nous visitions le Luna Park du Prater. J'ai toujours été fasciné par les fêtes foraines. Je déteste les manèges, mais la manière dont s'y comportent les gens me fascine. On dirait qu'ils deviennent fous. Plus rien ne les retient. A compter de l'instant où ils sont assis dans une nacelle tournoyante, ils cessent d'être eux-mêmes.

Elle me répond qu'elle se prénomme Heidi et que oui, elle ne demande pas mieux que de me piloter. Et on continue de deviser gaiement. Elle est très encuriosée par Paris. Elle l'imagine comme la métropole du vice, l'endroit du monde où s'assouvissent les plus bas instincts. Je lui brosse le tableau qu'elle attend car faut jamais décevoir ses terlocuteurs. Toujours abonner dans leurs sens, comme assure Béru. Je lui raconte les belles enculades, le soir, sur les Champs-Elysées, contre les capots des bagnoles, dans l'éblouissement des néons. Je lui décris le solde des putes, en janvier, aux portes Saint-Denis-Saint-Martin : Tout doit disparaître! Deux pour le prix d'une! Je lui narre les infirmières avec leur petite Samsonite qui proposent des piqûres de morphine sur les Grands Boulevards. Je lui bonnis les marchands ambulants qui vendent des godemichés de table en table, dans les brasseries. Je lui explique les petites serveuses de restaurant en culotte fendue qui font des pipes (voire minette) aux clients, sous la table, pendant qu'ils dégustent leur entrecôte marchand de vin. Elle en bouche bée, cette chère petite grand-mère. Elle pousse des exclamations entrelardées d'interjections de consternation. Elle se doutait bien. On lui avait dit que. Mais de là à imaginer...

— Un de ces jours, prenez des vacances et je vous ferai visiter.

Ça la fait frémir. Elle s'imagine déjà, le pot déchiqueté, ruisselante de véroles inguérissables, pustuleuse à ne plus oser se montrer, avec des chancres en instance, un SIDA pour bientôt, la matrice en portefeuille, les ovaires charançonnés, l'utérus comme un chou à la crème. Elle crie grâce par avance. Se fourvoyer dans un tel lieu ! Faudrait être frapadingue ! D'autant que la pénicilline lui flanque des allergies, Heidi ! Ça me distrait, sa candeur. Ses craintes m'amusent. On goulasche et on s'en va.

Une chose dont je suis bien certain, c'est que s'il est venu en ce lieu de plaisir, Toinet, il aura tâté de la Grande Roue.

Comme la soirée commence à peine, elle n'est point encore assiégée. Juste les Japonouilles de la cathédrale ou bien leurs copains de bureau qui se bousculent pour nikonner en chœur. Ils prennent leurs tickets à la caisse, se ruent dans les nacelles, tout cela sans cesser de faire pétarader leurs putains de flashes.

Quand la horde s'est perchée, que l'immense roue se met à tourner sur une musique de Strauss, je chambre le préposé à l'embarquement.

Histoire d'entrer dans le gras sans avoir à chiquer les plénipotentiaires de Rethondes (qu'allaient-ils faire dans cette clairière !), je commence par lui glisser un fort talbin dans la paume. Il empalme avec surprise mais promptitude et se met à m'interroger du regard. Que veux-je en échange de cette coupure ? Une gâterie ? (mais je suis accompagné d'une fille), la main de sa sœur ? la vérité sur le passé du chancelier Waldheim (1) ?

— Ecoutez-moi bien, lui dis-je, cet après-midi, il est venu ici une vieille dame bossue et un petit garçon français habillé d'un blouson bleu avec l'écusson de la tour Eiffel. Les avez-vous remarqués ?

(1) Comme il existe un trou dans son passé nazi, on l'a surnommé en Autriche « Le trou du Kurt ».

Il n'hésite pas.

— Oui, monsieur !

— Soyez gentil : racontez-moi exactement ce qui s'est passé ?

Tu sais, l'instinct poulardier, ça existe. C'est même un phénomène intéressant. La manière dont je suis venu droit ici et me suis adressé à ce grand type jeune, creux comme un saule sous sa canadienne de mouton. Une force confuse. On pourrait s'attendre à ce qu'il ergote, cherche dans son esprit (où la place paraît limitée), mais non. Il répond directo, sans avoir à réfléchir (Dieu soit loué !) :

— Le petit voulait que la dame monte avec lui, mais elle a refusé, disant qu'elle était trop vieille et que son cœur malade ne supporterait pas. Alors l'enfant est allé tout seul. Dès que la roue s'est mise à fonctionner, deux femmes se sont approchées de la dame bossue et lui ont parlé.

— Elle les connaissait ?

— Non. Elle paraissait surprise au contraire, et même, au début, j'ai eu l'impression qu'elle avait peur.

Passionnant, non ? Tu te rends compte ? Un simple garçon de grande roue qui te fourgue de l'info aussi capitale ! La valse emplit tout le ciel. La roue tourne majestueusement dans le faisceau de différents projecteurs. Ces enfoirés de Japs gloussent comme des pintades.

— Continuez, mon vieux, vous m'intéressez, je me demande même si je ne vais pas vous voter une seconde prime, l'excité-je.

Il a un rire gêné d'homme niais à qui on propose des photos pornos, qui en a envie, mais qui a peur qu'elles représentent sa femme en train de pomper un moniteur de ski. Il murmure :

— Les trois femmes ont discuté à l'écart. Les deux jeunes souriaient et la vieille dame bossue a fini par se rassurer. Lorsque la roue s'est arrêtée, elle a appelé le petit garçon et l'a présenté aux deux femmes. Celles-ci se sont montrées très gentilles avec lui. L'une d'elles lui a acheté des gaufres. Et puis ils sont partis, tous les quatre, et je ne peux rien vous dire d'autre, *Herr Doktor,* malgré tout mon désir de vous être agréable.

Un nouveau billet lui montre l'étendue de ma générosité.

— Que lui demandiez-vous ? questionne Heidi, curieuse comme la majorité des femmes (on cite le chiffre approximatif de 104 pour 100).

— Des précisions sur cette roue qui est un peu votre tour Eiffel à vous, sauf qu'elle est ronde et qu'elle tourne, réponds-je.

— J'aurais pu aussi bien vous les donner, n'oubliez pas que je vends des guides de Wien et que je les ai lus.

— J'y penserai, promets-je.

Mais c'est à Toinet que je pense. Selon moi, les gens qui traquent Félix avaient repéré sa planque. Ils ont suivi la mère Muelner lorsqu'elle est sortie avec mon loupiot. Pendant que le gosse tourniquait ils l'ont abordée. Et ensuite ? Je pige mal qu'ils ne soient pas venus plutôt à l'appartement pour se saisir du Prof. Comment ont-ils pu le repérer dans la cathédrale, déguisé en mémère ? Et pourquoi avoir embarqué la bossue et Toinet ? Dans quel but ? Attends, je continue d'imaginer... Les gonzesses auront questionné la vieille et l'enfant. Elles savent donc maintenant qui je suis et ce que je maquille à Vienne. Tiens, il est marrant de constater que, jusqu'à présent, il n'est question que de femelles dans cette aventure. Des femmes au motel d'Atlanta, des femmes qui essaient d'enlever le Prof à Vienne, des femmes qui s'emparent de Mme Muelner et d'Antoine bis, une femme qui emporte Félix devant la cathédrale.

Que ferais-tu à ma place ? Tu retournerais à l'appartement afin de voir venir ? Tu rameuterais les perdreaux autrichiens ? Tu essaierais de fureter d'ici et là pour dénicher un tuyau quelconque ?

Une que je perplexite, c'est la môme Heidi. J'ai une

curieuse manière de m'amuser à la fête foraine, décidément. Au lieu de prendre le train fantôme, la toupie volante, la barcarolle enchantée, voilà que je sombre dans une méditance infinie. Elle respecte mon mutisme, comprenant bien qu'il est consécutif à une tempête intérieure dont les vagues les plus fortes jaillissent de mon regard, comme l'a écrit avec sa maîtrise habituelle Le Pen Ajouir dans son livre de souvenirs où il apparaît sous l'exquis diminutif de Cadichon.

J'avance au côté d'Heidi dans le tumulte. Drôlement bité, l'artiste. On voit que nous avons affaire à des gerces, à la manière feutrée, onctueuse, dont cette histoire se déroule. Pas de coups de force ! Tout dans la vaseline, Aline. Le doigt humecté dans le fion, avec l'ongle coupé ras, pour éviter de t'égratigner l'œil de bronze. Du suave !

Soudain je cesse d'arquer et me tourne vers elle.

— Oh ! Seigneur, je me demande ce que je fiche ici ! explosé-je. Où allons-nous, chérie ?

— Chez moi ? propose-t-elle.

Vraiment, compte tenu de son attitude jusqu'à présent, je ne m'attendais pas à un tel dénouement ; comme quoi il faut s'attendre à tout avec les femmes.

Elle stoppe sa Triumph devant un immeuble neuf de la périphérie. La construction de moyen standinge, telle qu'il en prolifère dans le monde entier, n'importe la latitude et la longitude. Les hommes ont besoin de s'uniformiser. La dorme, la bouffe, le boire, la baise, le *shoot*, faut que tout soit sous le même emballage, avec le même goût, la même couleur, le même préservatif pour que ta bite passe pas par le Sida. On est ariélisés, arthurmartinisés, knorrisés, feuilletonisés, marlborolisés, japonisés d'importance. Mais avec quel bonheur ! Un complexe d'armée, on fait. L'uniforme reste notre rêve secret. Alors, on achète des bagnoles qui se ressemblent toutes, on brosse les mêmes dames, on achète les mêmes maisons dans des lotissements de concentration, avec piscines, tennis et miradors.

Bien entendu, elle a son parkinge souterrain, Heidi. Et puis un ascenseur te monte à l'apparte. Ça donne directo, ou presque, dans un livinge avec baie. Y a une chambre contiguë, une kitchenette, une salle de bains. Dénivellation de deux marches entre le séjour et la chambrette. Le tout blanc, avec des meubles qu'on sait pas très bien à première vue de quoi il s'agit et qu'on prétend disaïgnes, des gravures aux murs qu'on voit pas trop ce qu'elles représentent, un poste de tévé qu'on pige pas de quel côté est l'écran. Bref, le genre d'endroit qu'il fait bon vivre et qu'épate les copains la première fois, mais après, quand tu leur as expliqué que ces fesses sur quatre jambes féminines c'est des chaises, et que cette roue de Formule I en plastique est une table basse, bon, ils se sont exclamés en bonne et due forme et ensuite faut faire avec, pauvre con !

Elle me débarrasse de mon imper à épaulettes. Quand tu me vois dedans t'as envie de m'appeler Martial ! Elle me désigne une espèce de bar avec, devant, des sièges de machine agricole.

— Un *drink* ?

La marchande de *postcards* qui me la fait à l'américaine maintenant !

— Whisky Coca ! je dis-je, manière d'être performant.

Elle va chercher de la glace à son frigo glacière qui crache des glaçons à volonté. On picole. Je décide *in petto* que les amazones de Félix ne feront pas de mal à Toinet. Y a que les sadiques pour trucider un garçonnet. M'étant mis partiellement le moral au beau fixe, je saisis mon hôtesse de mes griffes avides et la presse contre moi, partant du principe que si elle m'a drivé chez elle à dix plombes du soir, sans que je le lui aie suggéré, c'est pas pour me faire repeindre ses vouatères ni déboucher son évier.

Doux Jésus ! C'est Langue-agile, *Fräulein* Heidi ! Une menteuse pointue, caméléonesque qui va directo te bricoler la glotte. Et sa jambe qu'insinue d'autor entre mes cuisses. Le temps de compter jusqu'à zéro virgule zéro un, elle me place une main tombée terriblement émouvante. Chauds les marrons! Dix francs la poignée! Son service de renseignements, Heidi. Elle veut tout savoir, ce qui est légitime. Toutes les frangines sont pareilles, la première fois. T'es là, tout glauque qui les mamoure et elles te supputent. Leurs yeux, c'est kif le cadran d'un appareil à sous. T'y vois s'enrager des sarabandes de bitounes de toutes les tailles. Ces dadames cherchent à te calibrer. Se demandent le comment t'es membré et si, tout à l'heure, tu vas leur produire un bâtonnet de réglisse ou un perchoir pour aigle royal. Souvent, elles en peuvent plus de douter. La mouillance prévaut. Alors elles t'effleurent la cage aux folles, déjà apprécier le renflement. Laisser épanouir leur rêve ou au contraire le passer par pertes et profits! Si tu les encourages, c'est le tastu sans équivoque. L'information délibérée.

La v'là qui me chope miss Guiguite par la taille. Du coup elle est rassurée : y aura bel et bien fête au village, cette nuit! J'ai le module performant. Elle me lâche Mister Bigbraque pour aller téléphoner. Elle doit appeler un bar car je perçois, de loin, du brouhaha. Elle dit qu'elle est Heidi et comme quoi il faut prévenir sa copine Gretta, quand elle viendra, qu'elle ne pourra pas l'héberger comme il était prévu car elle reçoit quelqu'un de sa famille.

Un court instant je me demande si, à ses moments perdus, elle donne dans le gigot à l'ail. Mais après tout, c'est pas mes oignons, hein? Si je puis dire.

DESSINE-MOI UN ŒIL AU BEURRE NOIR

Et alors, à quoi bon épiloguer, comme on exprime dans les autres livres. C'est la scène classique de zizi-papan-tutu-relevé-bite-en-l'air.

Tu sais combien je soigne mes prestations hors de nos frontières, voulant laisser de la France un exquis souvenir sur mon passage ? Je l'entreprends en mollesse. Numéro de cils sur la pointe de ses seins, langue pointue dans le creux nombrilique, puis descente aux enfers en laïssant une traînée d'argent sur le bas-ventre, jusqu'à la forêt tropicale qui luxuriante. Beaucoup d'Autrichiennes sont brunes, avec une pilosité souple, lubrifiée, presque soyeuse. Je lui coiffe la toison de la langue, ce qui affole illico ces frêles jeunes filles. La raie au mitan, œuf corse ! Ensuite dorlotage de l'escarguinche, bien l'isoler de son environnement afin qu'il dresse fièrement sa crête coquine. *Fräulein* Heidi a des soubresauts de bel et bon augure. Ponctués de petits cris judicieux.

Je vais t'afffranchir au passage, fiston. La qualitié du pied d'une nana que tu astiques se reconnaît à ses réactions sonores. Te laisse jamais chambrer par les plaintes à la con pour films pornos. De celles que tu trouves sur bobines, vendues au mètre dans les pharmacies. Les gémissements de pute, à d'autres, mon artiste ! C'est bon pour les gogos. Y a que les maquignons d'après foire pour s'y laisser cueillir. La vraie jouisseuse, elle, tu peux pas te gourer : elle est mélodieuse. Elle roucoule. C'est joli, ça te porte aux sens secrets, ça te fait mouiller le subconscient.

Heidi, c'est les vocalises de la Callas qu'elle propage. Des choses venues du fond de la gorge, du fond des âges. Nos *grand-mothers* des cavernes devaient déjà émettre ce genre de cris, avant de savoir parler, quand elles se faisaient grimper par leurs gorilles. Rien que pour entendre une telle musique t'inventerais des choses absolument inédites, jamais encore réalisées avec des doigts, une langue, une queue. Des gouzis au sirop ! Des frottis suprêmes. Y a du papillon dans ta démarche. T'exprimes l'indicible : la promenade de mister Popaul sur les mamelons, les bourses traînantes, le bisou à la rose, le mensonge d'une nuit d'été, on baigne duduche, le bec du toucan, l'archet à l'huile d'olive, la grande bouffe, les feux de la Saint-Jean, l'amor du petit cheval, le carnaval de Rio, le rio Grande, Bananas, le revers de violée, la montagne magique, le Stradivarius à corne, et je m'apprête à une opération extrêmement délicate, dont elle paraît ne rien connaître, qui est la bagouze écarquillée et que je suis le seul type au monde à réussir sans anesthésie, lorsqu'on sonne à sa lourde sur un rythme convenu.

Avant que d'aller plus avant, je te précise que tu ne dois, sous aucun prétexte, pratiquer la bagouze écarquillée à ta camarade de plumard sans venir me chercher. A moins que tu ne sois monté comme un bengali, auquel cas je me demanderais ce que tu fous dans ce bouquin. Pour réussir la bagouze écarquillée, il faut être un technicien averti (ou inverti, à la rigueur). L'exploit requiert une parfaite maîtrise de ses nerfs, des connaissances anatomiques assez poussées, une hardiesse nuancée, ses six doigts dégagés de toute arthrite, sa menteuse en complète agilité, des salivaires performantes et l'adjonction éventuelle d'un oléagineux raffiné, style huile d'amande douce par exemple. Je me garderai bien de te donner ici le mode d'emploi, certain à l'avance que tu voudrais l'appliquer sans m'attendre, ce qui risquerait de provoquer de graves lésions à la dame de tes pensées. J'ai rencontré des impétueux dont, à la suite de telles manœuvres, les pauvres compagnes ne pouvaient plus s'asseoir pendant des semaines et encore seulement sur une pile de coussins bourrés de duvet.

Mais trêve, passons à ce coup de sonnette signalé guère plus haut à mon fidèle lecteur. En l'entendant, Heidi déjante, se dresse et, l'air égaré, murmure :

— C'est Conrad.

Moi, flegmatique, je demande :

— Et qui est Conrad ?

— Mon ami. Il est terriblement jaloux.

— En ce cas n'ouvrez pas.

Mais des coups de poing martèlent la porte. Une voix de joueur de rugby réclamant la passe d'un partenaire en cours de montée à l'essai retentit. Qui dit :

— Ouvre ! Je sais que tu es là, ta voiture est au garage !

— Si je n'ouvre pas, il va enfoncer la porte, me prévient la marchande de cartes plus ou moins postales.

— En ce cas, ouvrez ! conseillé-je, n'étant pas obstiné de nature.

Mais ça fait pas son bœuf, Ninette. Elle a des craintes pour son mobilier *design,* assez fragilos malgré tout.

Moi, ce qui m'emmerde le plus, c'est de n'avoir pu la conclure, cette exquise ! En pleine bagouze écarquillée ! Au moment que le petit Gaulois à tête ronde s'apprêtait à visiter les travaux ! C'est vraiment mon jour de malchance ! Tu ne vas pas prétendre le contraire, non ?

Sur le palier, les coups et les cris redoublent d'insanité et d'intensité.

Heidi s'introduit dans sa robe de chambre.

— Rhabillez-vous vite, dit-elle.

Et puis elle sort de la chambre, referme la porte. Résigné, je retourne habiter dans mon slip. J'enfile mon bénouze à défaut de la môme, passe ma limouille, mais je n'ai pas le temps de la boutonner car un grand vilain surgit. Pas gracieux, je te préviens. Un zigus d'une quarantaine, avec un cou très large et très court, des étiquettes gonflées par des gnons encaissés au long d'une vie qui ne fut pas toujours douillette, des arcanes souricières proéminentes, un regard en guidon de course et un pif tellement de fois cassé qu'il ne subiste plus de cartilages et qu'il a l'air d'un groin de porc dans un plat de cochonnailles.

L'arrivant porte une veste de marine dont je ne vois pas la nécessité dans un pays aussi délibérément continental que l'Autriche, un pull à col roulaga et des jeans avec leur complément direct d'objet : des baskets pétées sur les côtés. C'est la silhouette classique du dur de dur qui entend qu'on le situe dès le premier regard. Il s'arrête, théâtral, dans l'encadrement.

— Je m'en doutais ! murmure-t-il très bas.

Qu'ensuite, il sort de sa vague un ya long comme une baguette de pain pour, d'un pouce expérimenté, faire jouer l'ouverture de la lame.

Mézigue, je me dis qu'inévitablement, il va y avoir castagne. Au lieu de boutonner ma limouille, je l'ôte d'un double mouvement d'épaules.

— Vous voulez vous faire les ongles, camarade ? je demande au chourineur.

Lui, c'est un primaire, voire même un primate. Quand sa gerce le double, au lieu de lui filer une paire de mandales en la traitant de pute, c'est à son partenaire qu'il s'en prend. J'ai jamais pigé une telle connerie ! La réaction du cerf ! Du clébard ! Du cormoran ! A quoi ça nous aura servi de nous dresser sur nos pattes de derrière et de nous trimbaler un cerveau gros comme le cul d'une couturière si c'est pour se comporter à l'instar des animaux ?

Le Conrad, il fait un pas en avant, le couteau convenablement brandi, c'est-à-dire au niveau de la ceinture, le coude plaqué à la hanche.

— Tu vas payer ! il grince.

C'est l'expression consacrée. Un méchant en renaud, il parle plus : il grince !

Alors moi, philosophe, de murmurer :

— Bon : tu me saignes, je calanche, les flics t'alpaguent et tu te fais chier comme il est pas permis pour purger les années de prison qui t'attendent. En dehors de ce programme, t'as d'autres projets ?

Ma tranquillité, mon ton léger paraissent le déconcerter.

— Si tu ne paies pas par le sang, tu vas payer par le fric ! m'annonce-t-il.

Et pour moi, c'est un trait de tu sais quoi ? Oui : lumière, t'as gagné ! Mais je parie que c'est Jean Dutourd qui t'a soufflé. Tu parles : il a été élu à l'Académie pour son œuvre complète des Grosses Têtes. Mais je digresse d'oie, moi ! Mon vice ! Ma faiblesse. Une idée en enfante une autre. Ce que sera l'ultime, je me demande. La toute dernière pensée d'un homme, c'est impressionnant, si tu y réfléchis. Il a une menue formulation. Et puis l'écran se brouille. On lui clôt les paupières. *The End.* Je voudrais pour finir, penser rigolo. Avoir un calembour pour prendre congé de moi. Une boutade, un à-peu-près. Songer par exemple : « C'est foutu, poil au cul ». Juste ça, Seigneur, s'il Vous plaît. Pour le sport. On sera que Vous et moi à le savoir. On n'en causera à personne. Les anges, archanges, saints ou âmes en peine qui grenouillent, là-haut, parole d'homme, je leur causerai de rien. Ne leur en casserai pas une ! Mais peut-être qu'il n'y a que du noir, du silence et du froid au-delà de nous. C'est pourquoi il faut se rappeler très fort nos défunts, des fois qu'ils n'auraient que nous autres comme vie éternelle !

Alors je t'avais dit, une chiée de lignes plus avant, que c'est un trait de lumière dans ma tronche. Cette fois, je m'explique : une marchande de cartes postales, c'est rarement riche. C'est rarement très jolie. Ça ne roule pas en Triumph. Ça n'a pas un appartement résidentiel avec du mobilier « actuel ». Je pige brusquement qu'elle a un condé de première, la gosse. Elle est au contact des touristes. Alors, ceux qui sont seuls, qu'ont l'air huppé, elle peut les charmer zézaiement avec sa frimousse délicate et ses grands yeux bleu intense. Elle opère des levages sélectionnés. Elle se laisse goberger par ses « clients » puis les ramène chez elle. Elle prévient son julot par un coup de fil convenu. Le mec se pointe au milieu des ébats. Il dégaine sa rapière affûtée et fait des effets de lumière sur la lame. Le gonzier pris en flagrant du lit glaglate mochement. Il douille un max. Dans le fond c'est un chouette petit négoce. Comme paravent à sa prostitution, elle a son éventaire de cartes et bimbeloteries, Heidi. Elle devait royalement se payer ma poire lorsque je lui brodais un Paris-Vice à ma façon! Avec pour seul accessoire un couteau à cran d'arrêt qui ne sert jamais, ils doivent gentiment affurer, les deux.

Je rigole.

— Pas mal, votre combine, mes amours!

Il est vaguement indécis. J'en profite. D'une main preste, je saisis le coin d'un oreiller et balance le dit sur le ventre de Conrad. Son ya plonge dans le tas de plumes. Moi, torse nu, agile, à l'aise, relaxe, je m'élance pour un coup de boule dans ses ratiches. Il titube, effondre la table de chevet, avec sa lampe à abat-jour rose pâle qui mettait de si délicats reflets sur les noix de la chérie. Je chope Conrad par le revers de sa vareuse, un crochet au bouc. Il va pour riposter, mais je fais glisser le vêtement de manière à lui entraver les brandillons : l'enfance de l'art! Rapidos, un une-deux pleine bouille. Son pif qui n'est plus à ça près raisine tandis que son doux regard se voile. Nouveau taquet à la pommette droite, il en résulte un monocle noir! Second parpaing à la gauche : v'là une paire de lunettes de soleil!

Je le termine par un crochet au foie, en vrille! La bille lui dégouline instantanément. Il se laisse tomber à genoux. Moi, toujours souverain, je récupère l'oreiller crevé, déplante sa saccagne, la referme et la glisse dans la poche de mon bénouze. N'après quoi, je termine ce que j'avais commencé, à savoir que je passe et boutonne ma chemise en fil d'Ecosse, tout en sifflotant. Le gars Conrad se remet mal de sa dérouillée. Il a des hoquets pernicieux, des plaintes mal réprimées, des frissons avant-coureurs. C'est, chez lui, la grosse délabrance ; le *knock-down* intégral.

La mère Heidi n'a pas bronché d'un iota. Bras croisés, elle reste appuyée au chambranle de la lourde, me contemplant avec admiration. Faut dire que j'ai opéré du sans bavure. Propre en ordre ! Pas de contestations possibles.

Et alors, des trucs s'élaborent dans ma tronche. Je suis un générateur, tu le sais.

— Ça marche à tous les coups, votre combine ? demandé-je à Heidi.

Un pâle sourire sans joie flotte sur sa bouche.

— Elle est un peu pauvrette, poursuis-je. Du tapinage qui ne dit pas son nom. De la bricole ! C'est un julot en peau de lapin que tu traînes là, ma fille. D'abord, avec sa frime d'imbibé, il doit te sabrer misérablement, je devine. Tu as compris, avant sa venue, ce que ça pouvait donner un beau coup de verge ? Conclusion, il nous a cassé le coup pour se faire démolir la gueule et moi je remballe mon tricotin. Y a de la tristesse dans l'air, tu ne trouves pas ? J'avais plein de projets flambants à assouvir avec toi, petite. T'allais déguster du superbe. Hurler à la lune, espère ! La brouette thaïlandaise, tu connais ? Ben, tu ne sauras jamais, tant pis pour toi ! T'aimerais que je te décrive ? Juste pour que tu te rendes compte de ce que tu perds ! T'auras beau essayer ensuite, avec ce tordu, branque comme il est, ce sera le fiasco. Voilà : tu t'agenouilles avec les jambes éloignées l'une de l'autre et tu passes tes mains sous ce pont charmant. Ma pomme, je te placarde Nestor dans la boîte à délices, ensuite je saisis tes menottes adorables et on fait les scieurs de long. C'est éblouissant comme sensation pour la dame. J'ai jamais pratiqué cette ingénieuse combinaison sans que ma partenaire ait une extinction de voix en fin de parcours, tellement elle s'égosille ! Faudrait pratiquement insonoriser la chambre pour être en paix avec les voisins.

Bon, me voilà saboulé. Je souffle sur mes phalanges endolories par la rouste administrée au ténor du chantage à l'alcôve.

— Ça va mieux, fillette ? Dis-moi, c'est pas la grande forme, t'as tes règles ou quoi ?

— Qui êtes-vous ? murmure-t-il, car je lui ai laissé ses lèvres intactes et il en profite pour exprimer des choses de premier secours.

— Un type qui ne ressemble pas aux pigeons que tu pratiques habituellement. Je suppose que d'ordinaire tu as affaire à des tocards qui prennent peur sitôt que tu sors ton cure-dents, non ?

Il hausse les épaules, se remet debout tant bien que mal. Il titube encore un brin, mais ça va mieux. Il ordonne à Heidi d'aller chercher du schnaps. Elle obéit et voilà qu'on trinque, les trois, comme de bons copains qui ne se sont pas revenus depuis lurette et qui s'apprêtent à faire des crêpes, puisque c'est la chandeleur.

— Parlons net, Conrad, attaqué-je au bout de peu, tu fais partie du Milieu viennois, je suppose ?

Il hausse les épaules.

— Pas vraiment.

— Pas vraiment, mais tu frayes avec lui à l'occasion, non ?

Il ne répond pas. D'où je conclus que sa réponse est affirmative.

— J'ai une propose honnête à te faire, mec. Dix mille dollars, c'est un gentil bouquet, non ?

Je prends dans ma veste la liasse que Félix y a glissée et compte dix mille verdâtres. L'autre, ébloui, se met à faire le poisson exotique contemplant un touriste japonais à travers la vitre bombée de son aquarium et qui le prend pour un voisin de palier.

— Je veux retrouver dans les meilleurs délais trois gonzesses dans une grande voiture noire, Conrad. Deux sont blondes, l'une brune et habillée de cuir.

Heidi qui a aperçu cette dernière sur la place de la cathédrale, tantôt, te donnera son signalement.

— C'est la fille qui était avec... votre mère ? fait la marchande de cartes postales qui n'a pas ses méninges dans sa poche.

— Exact, je vois que vous me recevez cinq sur cinq.

« Autre détail, grand, ces trois filles, selon moi, sont étrangères. Elles ont enlevé deux vieilles dames et un petit garçon au cours de la journée. Je les verrais assez crécher dans une maison discrète. Crois-tu que ton réseau de malfrats soit en mesure de me repérer ces trois pétasses dans les meilleurs délais ? Outre dix mille dollars, tu gagnerais mon estime et celle de tous les gens de cœur.

Le Conrad, il est pas beau, il a pas une cervelle aussi mahousse que celle de Blaise Pascal, il a jamais inventé l'eau chaude vu qu'il ne doit pas s'en servir, mais il est dompté, âpre au gain et désireux de me prouver qu'il sait être autre chose qu'un punching-ball à l'occasion.

— Ça devrait pouvoir se faire, déclare-t-il.

— T'es sincère ?

— Et sûr de mon coup ! affirme-t-il.

Banco !

Histoire de rester dans la tradition, je déchire en deux la liasse de talbins.

— Le solde à la livraison, lui dis-je en lui tendant l'une des moitiés.

Il enfouille.

— T'as bien tout compris, grand ? Deux gonzesses blondes, plus une brune. Elles se sont emparées de deux vieillardes et d'un gamin. Le gosse est français : dix ans, d'un châtain tirant sur le vénitien ; c'est dire qu'il a des taches de rousseur autour du pif.

« Sitôt que tu auras du nouveau, appelle-moi à l'hôtel *Metternich*. »

Je siffle mon godet cul sec et laisse le couple à sa perplexité.

DESSINE-MOI MA LIGNE DE VIE

Les gros méchants comme le gars Conrad, c'est de la capote anglaise trouée ! De la barbe à papa ! Quand tu affirmes ton emprise sur eux, au lieu de te haïr, ils t'admirent. Chaque dent que tu leur casses constitue un souvenir porte-bonheur et les escalopes de veau dont ils se servent comme compresses c'est comme des bisous que tu leur ferais sur les paupières.

La manière qu'il me reconduit à la lourde et qu'obséquieusement il serre la louche que je lui tends, en révèle long comme un jour sans baise sur sa servilité foncière. Il me rend euphorique, ce mec. Je me dis qu'avec lui je risque d'obtenir du positif.

En quittant ce tandem singulier, je retourne chez mamy Muelner, des fois qu'on aurait procédé à sa levée d'écrou et qu'elle aurait regagné ses pénates. Mais ouichtre ! L'apparte est plus désert que la conscience d'un usurier grec. Il sent la vieillarde, le papier jauni, la mauvaise cuisine refroidie. Alors, bon, je me casse et fonce à l'hôtel *Metternich* que je connais pour y être descendu lors d'un précédent séjour à Vienne, lequel était d'agrément, celui-là.

Je me trouvais en compagnie d'une petite Autrichienne que m'avait présentée Yves Simon et dont le cul et le romantisme m'avaient séduit. Car j'aime que les deux soient réunis. Quand des glandus me demandent ce que je préfère chez une gonzesse, de son intelligence ou de sa chatte, je rétroque que, pour moi l'une n'est rien sans l'autre. Piner, c'est bon ; causer, c'est bien. Acte et paroles doivent s'imbriquer pour constituer l'instant délicat auquel tout homme a droit.

Bien que je n'aie pas retenu, on me trouve une chambre confortable. De la cretonne partout, une couette moelleuse, des meubles de grand-mère autrichienne ; le tout accompagné d'une salle de bains performante.

Je me déloque vite faite bien fait, et c'est la plongée délicate dans une couche à la fois ferme et souple. Je remets mes soucis au lendemain pour m'abîmer dans ces songeries voluptueuses qui t'apportent une bandaison languissante, suivie de rêves que si je te les racontais, t'aurais les yeux cernés pendant trois mois.

Une menue sonnerie me réalite. Mettant à profit un rai de lumière qui filtre à travers les doubles rideaux, je décroche. Une voix pareille à de la confiture qui bout m'annonce :

— Ici le concierge de nuit, monsieur. Il y a là une demoiselle Heidi qui désire vous voir d'urgence.

Mon tour ne fait qu'un sang ! Heidi ! Le cadran phosphorescent de ma tocante me propose deux heures dix. Se peut-il que mes rigolos aient déjà du nouveau ?

— Faites-la monter !

Je vais ceindre une serviette de bains et délourder. Quelques petits instants après, la môme Heidi sort de l'ascenseur. Elle vient à moi, le visage serré ; entre sans parler. J'ai beau la regarder interrogativement, la fille n'en casse pas une broque. Par contre, tu sais quoi ? La v'là qui se dépoile à une vitesse supersonique. Décarpillage instantané. A croire qu'elle exécute un numéro à transformation.

Lorsqu'elle est en grand uniforme d'Eve, elle bondit sur le lit, s'y agenouille, les jambes fortement écartées, passe ses mains par cette arche de triomphe et attend.

Je pige tout : ma description de la brouette thaïlandaise l'a empêchée de pioncer. Alors elle vient à l'hôtel *Metternich* pour se faire appliquer le traitement.

J'aime bien les gerces voraces. Celles qui vont coûte que coûte au bout de leur propos. O.K. pour la prestation, fillette ! Me suffit d'admirer son panorama intime : sa voûte d'or, la culée de ses jambes admirables, pour me sentir intensément disponible.

Je lui pratique deux ou trois exquises agaceries préliminaires, manière de préparer le terrain. Michel, le bon jardinier de *Télé Matin* te le répète : ne jamais planter sans avoir convenablement aménagé le terrain. T'as des chiées d'étourdis qui y vont franco de port, que tout juste s'ils mettent la racine en bas. Ils oublient le terreau, la terre de bruyère, le pré-arrosage, tout ça, et conclusion, t'as ton *consensus omnium* à fleurs polyvalentes qu'est zingué en moins de jouge. Or, donc, j'aménage le frifri de la donzelle avant de lui prodiguer ce qu'elle est venue quérir en pleine nuitée, tant tellement son imagination lui tenaillait le trésor !

Bientôt, comme je le lui avais annoncé, les occupants des chambres avoisinantes se mettent à lézarder les cloisons à coup de bites et de poings ! Hurlant qu'on arrête notre vacarme, ou bien qu'alors on les invite carrément, la situation ne tolérant pas de compromission. Faut qu'elle cesse, sinon tout le monde y participe. Mais *Fräulein* Heidi est sur orbite. Elle oublie la terre entière, avec ses tapages nocturnes répréhensibles, ses pauvres voyageurs solitaires obligés de se régler le compte épargne tout seuls ! Faut dire que, piqué au vif, je pique des deux de manière étincelante ! Lancelot du Lac ! Montgomery crevant avec son bout de bois le lampion de Henri II ! Une fougue quasi guerrière. Heidi hurle sa pâmade à la terre entière ! Elle veut que ça se sache, sa monstre régalade ! Qu'on en cause dans les journaux et à la téloche ! Qu'on le répète aux générations futures, la façon forcenée que je lui fais prendre son peton ! Une prouesse de cette envergure, ça appartient à l'Histoire humaine. Onc n'a le droit de la celer : il serait passible de poursuites judiciaires. Ce boulot, *mamma mia !* Remarque, c'est exténuant. Comparé à ma pomme, le gusman qui gagne le marathon des J.O. est frais comme une rose trémière. Quand j'achève l'exploit, une paire de bretelles est plus musclée que mézigue. C'est sous la ligne de flottaison que les avaries sont le plus pernicieuses. Je titube jusqu'à la salle de bains. Je devrais, par galanterie, céder la priorité à Heidi, mais elle-même gît en travers du lit.

Je m'offre une longue douche supposée réparatrice. Lorsque je reviens dans la chambre, la gosse n'a toujours pas bronché. *Tuée par l'amour.* Beau titre, non ?

Assis au bord du terrain de manœuvre, je caresse son adorable fessier d'une main reconnaissante. M'abstiens de lui balancer des « Alors, heureuse ? », ou « C'était bon, chérie ? ». Sobriété, toujours. La première vertu d'un champion c'est d'être modeste.

Au bout d'un moment, elle finit par réagir, s'extirpe de sa bienheureuse torpeur et va réparer de mon chibre l'irréparable hommage. Quand elle réapparaît, c'est moi qui suis krouni. Elle me chuchote dans la portugaise droite :

— C'était inouï, je ne vous oublierai jamais.

Et se fringue en silence.

— Tu t'en vas ? articulé-je comme un qui, avec un vieux dentier disjoint, prétend manger des caramels.

— Il faut que je sois là lorsque Conrad rentrera. Il s'occupe de vous.

Elle part. Je dors. Du temps s'écoule. Le jour en profite pour sortir de l'ombre dans laquelle il se planquait. Quelque part dans l'hôtel un enfoiré de menuisier commence à menuiser et une enculée de femme de couloir à faire des essais de formule I avec son aspirateur. Mon sommeil déclare forfait. Je commande du caoua, très serré et en grande quantité, avec des petits pains « viennois » et du beurre des Carpates.

Je clape d'un appétit de naufragé récupéré. Comme j'en suis à récupérer les miettes avec mon doigt humecté, mon bigouille rameute. C'est messire Conrad.

— Salut, fait-il, vous connaissez le Kunsthistorisches Museum ?

Moi, les musées, je sais te l'avoir dit, c'est pas ma tasse de thé. Je déteste l'art en camp de concentration. J'aime quand il vit sa vie d'art l'art, chez Pierre, Paul, Jacques ou Jean Paul II.

— Non, mais je trouverai, réponds-je.

— Soyez à 11 heures devant le musée. Sur la plus basse marche du perron, avec un œillet à la boutonnière.

— Ça ne pourrait pas être une rose ? Je suis superstitieux et l'œillet porte malheur.

— Ils ont dit « un œillet » !

— O.K., va pour un œillet, ensuite ?

— Une ambulance arrivera et s'arrêtera devant le perron. Vous devrez y monter par la porte arrière.

— Et alors ?

— On vous conduira là où vous souhaitez aller.

— C'est-à-dire chez les trois filles ?

— Oui.

— Pourquoi ne me donne-t-on pas plutôt l'adresse ?

— Parce qu'elles se trouvent en un lieu où vous ne pourriez pas vous rendre tout seul. Grâce à l'ambulance, il vous sera possible de vous en approcher, vous saisissez ?

— Parfaitement.

— Vous irez remettre l'autre moitié des billets à Heidi, devant la cathédrale, à votre retour, O.K. ?

— Promis juré.

— J'aimerais bien aussi récupérer mon couteau.

— Je le lui donnerai en même temps.

— Salut !

Il raccroche. Il semble un peu tendu, l'apôtre. Moins servile qu'hier au soir. J'ai idée que ma dérouillée le gêne un peu pour exister correctement, ce matin, et que la rancune lui vient lentement.

Il est huit plombes. Je me fourbis nickel, me chouchoute et me saboule. Ç'a été mené rondeau, les recherches. Faut croire que les aminches malfrats de Conrad ont un service de renseignements opérationnel. Pensée anxieuse pour Toinet. Comment réagit-il ? Pas trop mal, sans doute. C'est le Poulbot de toutes les circonstances, y compris les très fâcheuses. Une manière inespérée, pour lui, de jouer au cow-boy. Quand je l'aurai récupéré, il ne cessera plus de me battre les roupettes avec son odyssée, Tintin.

Il est neuf plombes et des ; j'ai tout mon temps. Avant de filer, je décide de préparer à part le petit paquet destiné à Conrad, à savoir les talbins et le ya. N'ayant pas de grande enveloppe sous la main, je prends dans la salle de bains l'une de ces pochettes placées à la disposition des dames pour évacuer leur petites conneries mensuelles. Elles sont juste un peu plus longues que le couteau du barbiquet. Je glisse le lingue à l'intérieur, puis la demi-liasse de talbuches et je replie le haut du sac hygiénique. Tu vois, je te narre en conscience, avec minutie, bien que tu suives mes fesses et gestes.

Au moment où je vais pour m'enquiller le pacsif dans une vague intérieure de mon veston, la foutrance me biche. Tu sais, l'idée subite consécutive à un détail que t'as pas bien réalisé sur le moment mais qui chicane ton subconscient. Vivement, je récupère la pochette et en retire la demi-liasse. Putain ! T'as mis dans le mille, Emile ! Ces biftons déchirés sont de la sainte-blague. A l'exception de celui du dessus qui est vrai ! Et puis les autres ne sont pas des coupures de cent dollars, mais de cinquante. L'imitation en est grossière. Banknotes de théâtre ! Ça se bouscule sauvagement au portillon de ma gamberge. Une flopée d'idées qui veulent entrer sans payer ! Je fais un tri hâtif. Les dollars remis par Félix étaient authentiques et de cent points chacun. La demi-liasse que j'ai proposée à Conrad était également déchirée dans des talbins réels. Alors ? T'as pigé ? Oui, mon grand : la môme Heidi s'est pointée au milieu de la notte pour m'engourdir l'autre partie de la somme. Elle a préparé un erzatz de demi-liasse. Et moi, flambard, mâle vaniteux, pas une poussière de seconde j'ai douté qu'elle ne vînt que pour ma belle membrane à casque allemand. Je lui ai défoncé le pot d'échappement sans me gaffer qu'elle avait d'autres visées que *Frau* biroute, ma vieille copine. Pendant que je naviguais sous la douche, elle a permuté les deux liasses. Et à présent, ces bas gredins possèdent les dix mille dollars de ce vieux glandu de Félix ! Attends que je tisonne mes méninges... Bouge pas, tout petit, je sens que ça va me viendre... S'ils m'ont arnaqué, *c'est qu'ils savent que je ne pourrai plus exercer de représailles.* Donc, l'histoire de l'ambulance est un guet-apens. Une virée sans retour ! Alors quoi ? Ne pas aller au rancard devant le muséum ! La plus élémentaire prudence l'exige. Objection : s'ils ont comploté de me liquider, ils pouvaient piquer la deuxième demi-liasse sur mon cadavre. Certes, mais je risquais de ne pas l'avoir sur moi, et par ailleurs, ils agissent fatalement avec des complices et n'aimeraient pas partager le butin avec eux.

J'échafaude.

Si au moins je disposais d'un collaborateur ! Qu'attendent-ils pour me rejoindre, mes deux branleurs parisiens ? Il faut dire que ni un Noir ni un obèse ne saurait s'intégrer au plan que j'élabore. Et tu vas comprendre pourquoi dans un peu moins que pas longtemps.

Perplexe, je marche dans ma chambre, les mains au dos, dans l'attitude d'un prince consort filant le train à sa souveraine morue. Bien marquer au peuple que lui, les affaires de l'Etat il veut pas y toucher, même avec des pincettes. Il est laguche pour faire reluire la dynastie, point c'est tout à la ligne !

Mais au lieu de calmer ma nervouze, cette déambulation en circuit fermé ne fait que l'accroître. Alors je descends jusqu'à la réception.

Une chose est connue dans l'hôtellerie : l'efficacité des concierges. Ce sont des potentats, ces mecs. Tu peux tout leur demander pour peu que tu les arroses convenablement : des biftons de théâtre ou d'avion, une pipeuse, un pope, des boules Quiès, une masseuse thaïlandaise, de la crème à raser, une machine à écrire, un travelo brésilien, un godemiché gravé à tes armes, une réservation chez Guy Savoye, les œuvres complètes de Canuet, la couleur du cheval blanc d'Henri IV, celle du slip noir d'Alice Sapritch, le *Financial Time,* l'heure, des préservatifs neufs et le dernier (provisoirement) San-Antonio.

Celui qui trône derrière le rade en acajou est un grand maigre, très brun, avec d'épaisses lunettes cerclées d'écaille derrière lesquelles folâtre un regard d'ordonnateur des pompes funèbres au chômage. Il me regarde viendre avec un air si soucieux que j'ai envie de lui promettre la vie sauve avant de m'accouder à son rade.

En guise de préambule, je dépose un bifton libellé en schillings et comportant plusieurs zéros normalement constitués sur son beau sous-main de cuir exténué.

Sa joie n'éclate pas pour autant, mais son anxiété laisse place à de l'intérêt. D'un pouce et d'un index dédaigneux, il cueille la coupure et la jette dans un tiroir ouvert, comme s'il s'agissait d'une capote anglaise ayant été utilisée par les éléments masculins de toute une classe de terminale.

Comme c'est un homme instruit de la vie, il sait que rien n'est jamais gratuit, et surtout pas l'argent, alors il attend ma requête comme son papa attendait l'*Anschluss* (sans enthousiasme, mais avec résignation).

— Il me faudrait, pour une durée limitée que je situe à deux heures environ, un homme à peu près de ma taille et de mon âge sans qualification particulière. Je n'attends rien d'autre de lui que de se faire passer pour moi auprès de gens qui ne me connaissent que par ouï-dire. Je le rétribuerais plus que convenablement.

L'ordonnateur des pompes funestes laisse errer son regard d'apothéose sur ma personne.

— Pourquoi devrait-il se faire passer pour vous, monsieur ? questionne-t-il. Je vous demande ça parce que c'est la première chose dont s'informerait l'homme en question.

Moi, une requête comme la mienne, je sais bien que c'est pas avec une histoire de la collection Polichinelle que je la ferai passer.

Baissant le ton, je murmure :

— Je suis harcelé par un maître chanteur, cher ami. Je voudrais pouvoir suivre cet homme après qu'il aura cru m'avoir parlé, vous comprenez-t-il la situation ?

Le grave concierge réfléchit puis opine menu.

— C'est délicat, objecte-t-il.

— Très, conviens-je.

— Et cela comporte des risques.

— Je ne le pense pas.

Mais il fait la moue.

— De deux choses l'une, monsieur, fait-il d'une voix de notaire ouvrant le testament de Marcel Dassault ; ou bien le maître chanteur marche dans la supercherie et, puisqu'il nourrit de sombres desseins à votre endroit, votre « doublure » risque d'en pâtir, ou bien il l'évente et il y a fort à craindre de son ressentiment.

Je secoue la tête.

— Vous oubliez une troisième chose essentielle, mon bon : je serai présent. Dans l'ombre, mais présent.

Le mutisme qui succède constitue un silence pour Comédie-Française, à la fin de *Cyrano,* quand l'émotion générale empêche le public d'applaudir.

— Pourquoi ne vous adressez-vous pas à la police, monsieur ? suggère le concierge.

— Parce qu'il s'agit d'une affaire de femmes, monsieur, et que je ne veux pas risquer d'abîmer l'âme d'un être aimé.

Il est sensible à la tournure, et encore, traduite en allemand elle perd de son charme, comme toujours quand il s'agit de ce langage de merde !

— C'est urgentissime ! plaidé-je en déposant un nouveau billet de banque qu'il s'empresse d'accoupler avec le premier, des fois qu'ils feraient des petits.

— Combien proposeriez-vous, monsieur, à celui qui prendrait un tel risque ?

— Mille dollars, fais-je, pour deux heures de figuration intelligente, c'est bien payé.

La détermination du concierge m'est bonheur.

— Eh bien, je vais tenter de vous trouver cela, monsieur.

Je consulte ma tocante.

— Rendez-vous ici dans une heure. Le Kunsthistorisches Museum est à quelle distance de l'hôtel ?

— Vous voyez le Buggarten ? Il est situé juste derrière. En un quart d'heure à pied ou vingt minutes en voiture vous devez y parvenir.

— Merci, et à tout à l'heure.

Je vais flâner aux abords de l'hôtel *Metternich* à la recherche d'un œillet.

Ma « doublure » est légèrement plus grande que moi (je devrais dire plus longue), légèrement plus jeune aussi mais, par contre, beaucoup moins intelligente, me semble-t-il à première vue.

Elle est debout dans le hall de l'hôtel devant un tableau représentant le prince de Metternich signant la Quadruple Alliance en 1815.

Le concierge me la désigne d'un hochement de tête.

— La personne qui, peut-être, acceptera votre proposition !

— O.K.

Je vais aborder l'homme.

— Salut, lui fais-je, main tendue, le concierge vous a expliqué ce que j'attends de vous ?

— Oui, mais pas si vite, je veux savoir où je mets les pieds.

C'est un bourru. Pas très très sympa. D'ailleurs, les gens sympathiques sont de plus en plus rares. L'homme actuel se fait trop chier pour rester urbain. La vie le constipe. De même que les Chinois ont les yeux bridés parce qu'ils bouffent trop de riz, ce qui les fait grimacer quand ils vont à la selle, le gus d'à présent a la bouille contractée par les vicissitudes et les contraintes.

J'ai beau lui virguler mon sourire le plus engageant, un sourire dont la plupart des gonzesses se servent pour humecter leurs slips, il reste renfrogné.

— Très simple, fais-je. Vous n'avez qu'à laisser faire, à écouter et à attendre.

Je lui brode, en mieux, mon histoire déjà proposée au concierge : un maître chanteur qui me taraude à propos d'une liaison, nani nanère ; moi je veux savoir où il pioge, alors je le filocherai après qu'il aura eu son entretien avec M. X.

— Et si ça tournait mal pour moi ? s'inquiète à juste titre ledit.

Pas fou, le gars.

— Je reste prêt à intervenir. D'ailleurs, il vous suffira de révéler la méprise, vos papiers à l'appui.

Je tire le restant des dollars à Félix, comme dirait ma concierge, j'en compte cinq cents que je tends au type.

— *Fifty* à la commande, *fifty* à la livraison. Ce sera l'affaire de pas une heure.

Comme il encaisse la fraîche, j'en déduis qu'il se rallie à mon panache tricolore, aussi lui piqué-je un bel œillet rouge à la boutonnière.

— Vous attendrez, à partir de onze heures sur la première marche du Kunsthistorisches Museum. Une ambulance surviendra et s'arrêtera devant vous. Vous monterez dans le véhicule par l'arrière. Je vous suivrai à distance.

— Je n'aime pas beaucoup cela, murmure ma doublure.

A dire vrai, moi non plus. Le zigman que m'a déniché le concierge, crois-moi, n'a pas un pneu crevé et réalise parfaitement qu'il y a danger quelque part. Il doit avoir besoin d'artiche pour accepter la jolie sinécure que je lui offre.

— N'ayez pas de souci, mon cher, le réconforté-je. Si vous éprouvez la moindre inquiétude pendant cette opération, il vous suffira de dire la vérité à votre interlocuteur : il en a après moi, pas après vous. A propos, parlez-vous le français ?

— Non.

— Tâchez d'en prendre l'accent, malgré tout, si vous avez à parler. Nous avons le temps de boire un *drink* au bar, ça vous dirait ?

— Je préfère après.

— Alors nous en boirons deux. A tout à l'heure.

Il ne répond pas.

***

Je stoppe le long des grilles du Buggarten et me mets à réfléchir. Tu m'objecteras qu'on ne se « met » pas à réfléchir car nos pensées nous pilonnent l'esprit continuellement. Pourtant je planifie des instants propices à la méditation. Une sorte de gymnastique mentale afin de me rendre disponible à une forme de réflexion bien déterminée. Certes, au bout d'un moment, mon dispositif foire sans que j'en aie conscience, néanmoins il me reste chaque fois quelque chose de positif dans la caberlinche.

Je me dis qu'avec mon dragage de la petite Heidi, je me suis filé sur les endosses un excédent d'embrouilles n'ayant aucun rapport avec l'affaire Félix. J'ai plongé dans une combine de prostitution artisanale. Le Conrad, s'il a des accointances avec le Mitan viennois, ne les aura pas mobilisées pour entrer dans mon jeu, mais seulement pour m'arnaquer les dix mille dollars. Cela dit, va-t-on jusqu'au meurtre pour s'approprier une somme aussi (relativement) modeste ? Puisque la gosse m'avait engourdi l'auber, il leur suffisait de mettre la clé sous le paillasson pendant quelques jours pour me baiser complet, sans recourir aux grands moyens. Donc, s'il a recours à ces grands moyens, c'est parce que l'histoire a pris un prolongement. Il se pourrait que les amis du chourineur sachent des choses sur les donzelles que je cherche et qu'ils les aient prévenues, passant ainsi délibérément à l'ennemi. Y a des précédents !

Je marche sur des braises, les gars ! Peut-être perds-je mon temps à guetter les agissements des amis de Conrad ?

Et peut-être pas.

Grognassu, ma doublure (je lui ai fourgué ce sobriquet à défaut de son véritable nom resté dans sa poche intérieure), est déjà à pied d'œuvre sur le perron. La tache rouge de l'œillet ressemble à du sang. J'espère qu'il ne va pas me foirer dans les pognes au dernier moment, l'artiste ! Il avait l'air si peu chaud pour me louer ses services...

Ces germanophones, t'as beau jacter leur dialecte, tu peux pas les piger vraiment quand t'es latin pur fruit comme ton éminent camarade. Cette langue à la con, où le verbe se fout en fin de phrase (si bien que tu peux jamais couper la parole de ton interlocuteur puisque t'ignores ce qu'il est en train de te dire tant qu'il n'a pas terminé de jacter), je m'y ferai jamais. Faut être mou du cigare pour « faire avec ». Et puis ces mots qu'en finissent pas, longs comme des accordéons étirés au max, franchement, je les trouve pas maniables. Ils t'encombrent la bouche, se collent à tes chailles tel du chewing-gum après des dentiers, te deviennent patates brûlantes. Je préfère l'anglais, à la rigueur. Voire le russe ; mais le chleuh, zob !

Il regarde sa montre, Grognassu. Faut dire qu'il est déjà et cinq. Il s'impatiente. Pourvu qu'il ne déserte pas son poste, le sale con !

Non ! Voici une ambulance, justement. O ironie, il s'agit d'une bagnole française : une CX blanche, avec un gyrophare, des vitres dépolies à l'arrière et une croix bleue peinte sur les portes. Y a la raison sociale écrite, mais j'ai pas le temps de ligoter. Le véhicule stoppe au niveau de Grognassu. L'homme à l'œillet hésite, puis va à l'arrière de la tire. Il ouvre lui-même l'une des deux portes. Nouvelle hésitance et puis il grimpe. L'auto redémarre. Le chauffeur n'a pas déclenché sa sirène, ce qui fait mon blaud, car elle roule à moyenne allure, de ce fait. Si elle bombait plein tube dans la circulation et que je la filoche au même rythme, son conducteur me retapisserait dans les deux minutes qui suivraient.

Elle pique sur Mariahilferstrasse, c'est-à-dire en direction de l'ouest, et assez rapidement, nous prenons congé de Vienne.

Il fait clair et pimpant. L'Autriche, ce matin, a été nettoyée au Mir lessive (la seule lessive dont tu puisses boire l'eau après lavage !). Je m'imaginerais assez roulant sur cette route bordée de cerisiers, au côté d'une gonzesse aimée. Depuis que j'ai largué Marika, ma jolie Danoise, après notre cruelle mésaventure magistralement contée dans *Ça baigne dans le béton*, ouvrage d'une haute tenue morale, avec peu de fautes d'orthographe (deux ou trois par page, à peine !), je me sens en manque. Je la raffolais, cette sublime blonde. On a vécu de l'étonnant au Groenland, elle et moi. Me semblait que ça allait durer toujours, les deux, (enfin, au moins six mois, quoi, car l'éternité est relative pour les mortels que nous sommes) et puis non, t'as vu ? Il a suffi qu'un vilain diable me l'envoûte pour que je décroche. Je peux pas rester piqué dans la volaille, mécolle, après un turbin de ce genre. Je sais bien que c'était pas sa faute, la chérie, mais on s'attache si fort aux sales impressions qu'il ne nous est pas possible de leur passer outre. Surtout Bibi, qui marche tellement aux sensations ! Une gerce qu'a ses ours au mauvais moment, et je la répudie aussi sec, pour toujours. Note que la réciproque existe, afin de rétablir l'équilibre. M'est arrivé également d'avoir été largué pour des broutilles : une mauvaise bandaison consécutive à des flatulences d'origine alimentaire, par exemple, ou encore pour de la maussaderie trop accentuée. Une vie entière passée chez les casseurs de couilles, ça érode l'homme. A force de frayer avec des supérieurs trop cons, des subalternes trop veules, à force de libeller davantage de chèques que t'en endosses, à force de limer sans appétit ou de voter sans conviction, ton moral se fuse.

Mais, bon, Marika, elle grince encore dans mon souvenir. Pas à cause de nos parties de jambons. La chair, je te le dis fréquemment, c'est ce qui s'oublie le plus vite. On reste plus motivé par les « moments ». Des minutes rutilantes qui t'ont apporté un peu de chaleur et de lumière, un peu de musique... Des minutes au cours desquelles une main mystérieuse a écarté un peu le rideau noir, te permettant ainsi de mater dans le jardin des délices. Mais on se referme, y a qu'à attendre. Les larmes te mouillent d'abord les yeux, ensuite elles te les brûlent (quand elles sont séchées). Pleurer, c'est l'hygiène de l'œil. Le chagrin aboutit parfois chez les psychiatres, jamais chez les ophtalmos.

Il y a des pays dont les gens de culture restreinte mettent en doute l'existence. Ainsi de l'Autriche. Certaines personnes pensent qu'il s'agit d'une marque de lessive. Il en est tant! Ils croient qu'on va leur proposer de reprendre leur boîte d'Ariel suractivé contre un paquet d'Autriche ammoniaquée double effet. Aux States surtout, le phénomène est courant. Faut dire que là-bas, l'inculture est une institution. Ils te font une vie avec deux cents mots et quelques paquets de pop-corn, vu qu'aux Zétats-Zunis t'as rien besoin de savoir : y a des appareils distributeurs qui pensent pour toi. Une poignée de *nickels* dans ta fouille et tu fais la route peinard.

Mais je m'écarte, une fois de mieux. Alors, fissa, je te reviens à l'Autriche, aux faubourgs de Vienne, la campagne immédiate assez pimpante, dois-je dire. Mais c'est vrai qu'à y regarder attentivement, tout cela existe plus ou moins. Moi, le calcul d'Adolphe, dans un sens, je le comprends. Il s'est dit qu'un pays qui sert à rien, tant qu'à faire, autant le rattacher à un autre pour en faire un plus grand. Qu'en outre c'était le sien; sentimentalement, ça joue. Qu'on le veuille ou pas, comme me disait Jean-Marie, l'autre jour, avec des larmes à l'œil « Y avait de l'artiste chez cet homme ! ».

L'ambulance file en souplesse, drivée impeccablement. Je filoche à quelques encablures. Nous v'là bientôt en pleine cambrousse. Soudain un tracteur débouche d'une voie transversale. Je fous un coup de klaxon désespéré, non sans évoquer *Les Choses de la vie,* quand Piccoli se fraise la gueule contre une bétaillère pilotée par le merveilleux Bobby Lapointe. Mon crochet nécessite le coup de volant du siècle. Je me dis, l'espace d'une étincelle, que si une véhicule quelconque se pointe en sens contraire, va y avoir de l'hamburger de connard en « action » à la boucherie anthropophagique du coin. Mais mon ange gardien ne somnole pas, rien ne se présente en face de moi et ça passe. De justesse extrême, mais ça passe !

Un bruit de freins apocalyptique retentit. Mon rétro, hâtivement consulté, me montre une Mercedes verte en train d'embugner l'arrière du tracteur. Le freinage n'a pas été suffisant pour éviter la collision ; toutefois il a limité les dégâts car, autant que j'en puisse juger dans mon petit rectangle de glace, la Mercedes s'en tire avec une aile écrasée, et le tracteur avec une roue fanée. C'est alors que je constate un fait troublant. La voiture verte ne s'arrête pas pour souscrire aux formalités inhérentes à ce genre d'avatars. Après une rapide manœuvre, la voilà qui poursuit sa route, avec le museau de guingois. Dès lors, l'Antonio bien-aimé se dit « Oh ! oh ! bizarre, bizarre ! » Rien de plus. Je te livre sa pensée intégrale sans y changer un mot, simplement j'avais, par inadvertance, tapé un point virgule au lieu d'une virgule entre les deux bizarres, ce qui n'avait aucune raison d'être. Chicorner sa tire en endommageant le véhicule adverse et tailler la route comme un malpropre, sans même remettre sa carte de visite au télescopé, voilà qui ne se fait pas, même dans un pays à l'existence douteuse (le seul que les Russes n'aient pas gardé, je te prie de considérer. Après Yalta, ils ont dit « Non, non, l'Autriche, on n'en a rien à secouer, s'il vous reste une petite place dans le bloc occidental, mettez-l'y, cadeau ! »). Alors, l'éminent Sana, il pige en grand que si cette voiture endommagée poursuit sa route au mépris des règles élémentaires de courtoisie, si elle chie aussi délibérément sur la pauvre compagnie d'assurances qui la couvre, c'est que ses passagers (ils sont deux) sont mobilisés par une action urgente. J'en conclus qu'ils me filochent. Je pige pas pourquoi, mais ça me paraît tellement évident qu'un gamin de quatre-vingt-quinze ans en licebroquerait dans ses pampers...

Alors je me trouve dans l'incommode situation qui est de suivre en étant suivi ! Un cas, non ? L'ambulance continue son tracé. Elle emprunte une route secondaire à une bifurcation et ralentit pour s'accommoder des ornières ravinant le chemin. C'est là que je risque d'être renouché par ses occupants. J'attends au carrefour qu'elle ait pris du champ dans la plaine jusqu'à disparaître derrière un vallonnement... A quelques centaines de mètres derrière moi, la Mercedes tuméfiée attend également... Là, je t'avoue que ça devient angoissant. Si j'écrivais de la musique de film, j'écrirais un truc drôlement suintant, espère ! Ça donnerait de la contrebasse à cordes et du saxo. Des effets en chambre d'échos, en veux-tu, en voilà !

Je repars mollo. Le chemin un peu cahotant traverse une étendue champêtre. Une fois le mamelon franchi, j'aperçois un village au loin, avec son église à bulbe et des grosses maisons à colombages. L'ambulance s'y dirige, mais stoppe à un kilomètre environ de la localité. L'endroit compose une sorte de carrefour, créé par mon chemin et une autre route plus importante qui doit rejoindre la nationale que je viens de quitter. A l'intersection des deux voies il y a une construction caractéristique : deux pompes à essence, des pubes de pneus, un grand atelier éclairé par une verrière et, derrière, dans une espèce de vaste terrain vague, une accumulation de voitures d'occasion.

L'ambulance klaxonne. Quelqu'un, en combinaison

kaki, fait coulisser la grande porte de fer qui ferme l'atelier et le blanc véhicule pénètre à l'intérieur. La porte est refermée. Une infinie tranquillité règne sur ce lieu. Jouxtant le garage, une maisonnette pimpante, aux tuiles rouges. Devant la façade se trouve un banc de jardin peint en rouge bordeaux sur lequel est assise une jeune femme. Un landau de bébé est arrêté contre le banc. La femme berce l'occupant du landau en pesant régulièrement sur son bord. La jeune mère est en manteau, because la froidure. Elle écoute la musique diffusée par un transistor posé à son côté. Image sereine. J'enregistre tout cela tandis que je continue d'avancer au ralenti, me demandant ce qu'il convient de faire. Si je m'arrête, l'alerte sera donnée illico et ma feinte à Jules n'aura servi de rien. Alors ?

Je passe devant le garage et emprunte la route de droite. J'avise, à quelques centaines de mètres, une espèce de bâtisse recouverte de tôle ondulée. Elle est ouverte sur tout un côté, découvrant un vaste local où sont entreposées des bottes de paille. Au culot, j'y pénètre avec mon carrosse et remise celui-ci à côté d'un engin agricole pareil à un monstrueux insecte et qui devrait être une moissonneuse.

Au boulot, mon Tonio ! Si tu veux en savoir plus sur les Autrichiens qui bougent, tu dois te remuer le prose.

Pour commencer, je cherche la Mercedes verte, mais elle a disparu. Peut-être ai-je niqué son conducteur en virant brusquement à droite et en planquant ma tire ? Le champ qui s'étend devant le grand hangar succède a l'espace où sont entreposées les guindes d'occase. Je me rends compte qu'il m'est aisé de gagner l'atelier du garage par-derrière, sans être vu, pour peu que je prenne quelques précautions. D'où je suis, je perçois les échos du transistor de la jeune mère. Il mouline des valses viennoises, comme de bien entendu. Ça paraît suave et reposant, Strauss ; mais ça peut vachement souligner la tension, dans certains cas. D'ailleurs, le réalisateur d'*Odyssée 2001* nc s'y est pas trompé qui a choisi *Le Beau Danube Bleu* pour accompagner son périple dans les galaxies. Ça fout le vertige, la zizique à trois temps ! Le tourbillon, tu comprends ? Grisant au début, il peut devenir fatal s'il perdure.

C'est au son de cette musique romantico-neurasthéniante que je traverse le parking. Nonobstant la gravité de l'instant, mon intérêt pour l'automobile est si vif que je ne puis me défendre d'admirer au passage certains vieux modèles de chignoles disparus de nos routes depuis des décennies. Alors, les pare-chocs étaient de vrais pare-chocs, la carrosserie en vraie tôle, et le châssis plus costaud que celui d'un char d'assaut. Maintenant, la voiture n'est plus qu'une illuse. Un objet d'exposition. Un truc bien peint, avec des lignes « actuelles » et des gadgets à la con qui t'engueulent si tu fermes mal une porte et te donnent l'âge du capitaine dont t'as strictement rien à branler en pilotant. Ils sont tombés d'accord depuis lulure, tous, de fabriquer des tires dont la durée limite est de cinq piges. Passé ce délai, faut les jeter. Société de consommation oblige. Société de consumation, oui ! Faut-il qu'on soit tous cons et fumiers pour être tombés si bas ! Happés par l'hydre infernale ! Boulottés, déféqués ! Les robots c'est nous, les gars. Reste plus qu'un peu de bibite et des coins d'âme, de-ci, de-là. Sinon, *finito !* Skip, la lessive, va au-delà de la propreté : jusqu'à l'hygiène (qu'avant Skip on étaient de fiers dégueulasses cradoches de partout !) ; l'homme, lui, va au-delà de Dieu désormais, jusqu'à la matière. Avant, tout ce qu'on pouvait lui trouver à redire, c'était l'étron qu'il pondait chaque matin. A présent, il EST la merde ! Et il produit des cartes perforées. Il baise par Minitel, cette géniale infamie ! Grosse queue cherche petite chatte ! Que dis-je, même pas. On fait l'amour sur écran. Suffit de se bonir des insanités ! Putain, ce que j'ai honte ! Honte pour ma dignité, honte pour mon zob ! A quoi ç'aura servi que le bon Dieu Ducros Il se décarcasse ? C'est Einstein qui a dit « que Dieu ne bégayait pas » ? En ce cas, il serait temps qu'Il monte à la tribune, sinon Il risque de ne pas repasser aux prochaines érections.

Dès lors que je crachouille cette petite philosophie de secours, me voici parvenu derrière le garage, comprends-tu-t-il ? Sans problo. La valse s'endiable. Le Karajan de service baguette plus vite qu'un mixer Rotary. Les cuivres y vont à fond la grosse caisse. Mais, n'a mesure au fur que je me suis approché, j'ai cru, par-delà les flots mélodieux, percevoir des cris. Accroupi contre la cloison du garage (seconde porte coulissante livrant accès au parking d'exposition), je m'applique à très doucettement pousser celle-ci de deux ou trois centimètres afin de mater l'intérieur. Ce que j'asperge me hérisse les poils occultes.

Oh ! la scène !

Ils sont quatre, plus ma doublure. Deux portent des blouses blanches, le troisième est le garagiste en combinaison caca d'oie et le quatrième un homme assez frêle, sanglé dans un manteau de cuir noir et coiffé d'un feutre également noir, à large bord. Il a passé des gants de cuir et chaussé son nez de lunettes à verres teintés (*chausser son nez* est une expression très zuzitée dans le roman d'action auquel j'ai l'honneur d'appartenir, ce qui m'oblige par esprit de confraternité à utiliser des mots ou tournures de phrases qui me font pisser dans mon froc quand je les relis).

La scène dantesque est comme ça : les hommes ont attaché ma doublure sur l'établi de l'atelier après l'avoir dépouillée de son pantalon et de son slip. Les « infirmiers » lui tiennent les miches écartées tandis que le garagiste a introduit le bec de son gonfleur de pneus dans le fion du malheureux. De temps à autre, il lâche une giclée d'air comprimé dans les intestins du pauvre type et c'est cela qui le fait crier. L'homme au manteau de cuir lui pose des questions. Il a une voix fluette d'eunuque. Quand j'arrive, il demande :

— En ce cas, qui es-tu ?

Mutisme du pauvre mec. L'homme noir adresse un hochement de menton au garagiste, lequel file une giclette d'air dans les entrailles de la victime.

— J'appartiens à la police ! fait l'autre. Inspecteur Baumgartmïch, du commissariat central.

— Comment se fait-il que tu te fasses passer pour le Français ?

— Nous avons été prévenus par le concierge de l'hôtel *Metternich* qu'un étrange client cherchait une doublure pour pouvoir filer ceux qui lui avaient donné rendez-vous.

L'homme en noir se tourne vers les infirmiers :

— Avez-vous été suivis ?

— Je ne pense pas, répond le plus corpulent.

L'homme en noir ôte son chapeau pour s'en éventer. Stupeur ! Il s'agit d'une fille. Assez belle, me semble-t-il, aux cheveux sombres coupés court.

Surprise, hein ? En tout cas, un que je n'emporte pas dans mon cœur et auquel je réserve un sein de ma Cheyenne et autres lieux communs, c'est ce concierge de saloperie de sa putain de mère ! Comment qu'il m'a viandé, l'homme aux clés d'or ! Laisse que je retourne à Vienne et je les lui ferai bouffer !

La fille demande, sans s'émouvoir :

— Et il vous a suivi, ce damné Français ?

— Je ne sais pas.

Sur injonction de la garce, le garagiste procède à une injection de gaz.

— Ton avis ? reprend la môme.

— Je pense que oui ! fait le pauvre inspecteur Baumgartmïch. Il se trouvait au volant de sa voiture devant le Buggarten.

La fille dit à ses comparses :

— Vous devriez jeter un coup d'œil dans les environs.

— Inutile, déclare le garagiste, s'il y avait eu alerte, Frida nous aurait prévenus : elle fait le guet, dehors.

Juste comme il achève, voilà la Frida, précisément, qui surgit en courant.

— Il y a deux hommes qui arrivent ! dit-elle.

Précipitamment, l'un des infirmiers s'empare d'une couverture qui se trouvait dans l'ambulance et en recouvre leur victime après l'avoir estourbie d'un taquet à la tempe. Pour un membre du personnel hospitalier, il use de curieux anesthésiques.

Le garagiste a relevé presto le capot de la CX et feint d'examiner le moteur. Quant à la fille, elle se dissimule derrière une pile de pneus.

J'aperçois, depuis mon poste d'observation, deux malabars en imperméable vert et chapeau taupé. Je te parie tes couilles contre un Mars que ce sont les occupants de la Mercedes verte. Ils commencent par mater à travers les vitres de la porte coulissante, puis font coulisser celle-ci puisque c'est sa vocation profonde. A leur démarche, lorsqu'ils investissent l'atelier, je pige qui ils sont. Les voilà qui se pointent jusqu'à l'ambulance. Le garagiste essuie ses doigts maculés au chiftir dont un coin est passé dans sa ceinture.

— Messieurs, vous désirez ? il leur demande en autrichien.

Les gars mettent un bout d'instant à se décider. Ils commencent par regarder à l'intérieur de l'ambulance. Ne voyant personne, ils s'approchent du trio.

— Police, fait l'un d'eux. Où est l'homme qui se trouvait dans cette ambulance ?

— Quel homme ? fait l'un des faux infirmiers.

— Nous l'avons vu monter devant le musée et nous vous avons suivis depuis. Alors ?

C'est un mec massif comme une horloge avec, dans sa grosse tronche blondasse, un mécanisme aussi précis.

A cet instant, y a le « gonflé » qui émet une plainte. Le deuxième poulardin se précipite vers l'établi. Mal lui en prend car un coup de feu claque, en provenance de la pile de boudins. Il déguste plein dossard, fait une cabriole, essaie de porter sa main droite à ses reins, mais s'écroule, mort, avant d'avoir achevé son geste. Son collègue a à peine le temps de réaliser qu'il déguste un coup de démonte-pneu à l'endroit où devrait siéger ses pensées s'il en avait. Poum ! A dame !

La fille en cuir s'avance.

— Décidément, ça se complique, fait-elle.

Le garagiste est hagard.

— C'était pas convenu ! gueule-t-il. On n'avait rien prévu de semblable ; je ne marche plus, moi ! Je ne marche plus !

— Ce sont les surprises de l'existence, lui fait calmement la gonzesse. Calmez-vous, sinon, en effet, vous ne marcherez plus jamais. Mais rassurez-vous, Johan, nous allons vous débarrasser de « ça ».

Elle enjoint à ses deux sbires blousés de blanc de charger les corps à l'intérieur de l'ambulance.

— Et celui-ci ? gémit le garagiste en montrant ma pseudo-doublure sous la couvrante.

La fille de cuir sourit.

— Il ne faut jamais séparer des confrères, dit-elle.

Elle s'approche du malheureux, le dégage de la carouble. Il a repris conscience et roule des yeux effarés. La môme le considère d'un air amusé. Faut dire qu'il est tragiquement cocasse, le poulet viennois, ainsi dépantalonné, avec le bec du gonfleur enquillé dans les meules. La frangine empoigne la manette d'admission de l'air comprimé. La presse. L'appareil se met à balancer un typhon dans le cul du pauvre mec. Il pousse des cris franchement abominables que les valses de Strauss ont de la peine à couvrir. Il demande grâce ! Il supplie ! Il prie ! Sans broncher, sa tortionnaire continue de presser sur la commande. Il gonfle à vue d'œil, l'inspecteur Baumgartmïch. Embonpointe comme une baudruche. Bientôt, il deviendra aéronef. Ses hurlements dépassent le crédible. Il a franchi tout le cadran des décibels et rejoint le couac avant-coureur du silence, ce paroxysme intégral du son. Elle continue de lui injecter l'air comprimé. Et moi, tu te rends compte si j'enrogne ! Assister à cette torture, à cet assassinat monstrueux et ne pas intervenir ! L'Antonio ! L'homme qui remplace Astra ! Seulement quoi, Eloi ? Je suis seul, avec comme toute arme, un couteau à cran d'arrêt facultatif. Eux sont quatre et possèdent des pétoires de précision. Qu'à peine je me montrerais, mon ya en main, je serais plus rempli de balles que la cassette d'Harpagon de louis d'or !

Mon courage serait inutile et mon sacrifice sans objet.

D'ailleurs, vlouf ! Il finit dans une espèce d'énorme pet, Baumgrattemiches. L'air comprimé, libéré dans ses entrailles, a tout déchiré, tout fait sauter. Il agonise. Ayant franchi le seuil du tolérable, il a perdu conscience. L'un des infirmiers, plus pitoyable sans doute que la femme, appuie le canon de son feu contre la poitrine de l'inspecteur, à l'emplacement du cœur et le praline à bout portant, histoire d'en terminer.

Le sang gicle du cratère soudain creusé. Le garagiste fulmine comme quoi « on » lui salope son atelier. Il va s'en payer une suée pour effacer toutes ces traces débectantes, merde ! Et il revient sur le fait que c'était pas prévu. Ça ne devait pas se passer comme ça. On lui avait juste demandé de prêter une ambulance et ses locaux pour une conversation délicate ! Drôle de conversation ! Ils vont en faire quoi, des trois cadavres ? Et des flics, dites ! Des flics, nom de Dieu ! Ils savent ce que ça vaut, la peau de flic, les trois ? Plus cher que celle du vison ou de l'hermine ! Si l'enquête remonte jusqu'ici, il chiera des boules de feu ! A la fin, ses récriminations exaspèrent la gonzesse. Elle lui plante le canon de son arme dans le baquet.

— Fermez votre putain de gueule ! Sinon, vous ferez partie du voyage !

D'où je suis embusqué, je ne vois pas le visage de cette houri, mais à celui du garageo je pige qu'il guérirait le hoquet d'un crocodile.

— Maintenant écoutez-moi, Johan, fait-elle, tout en lui asticotant le nombril du canon de sa rapière ; écoutez-moi bien : si vous ne jouez pas notre partition (nous sommes au pays de la musique, ça se sent !) il vous arrivera d'immenses malheurs. Vous avez envie que votre bébé grandisse, non ?

— Oui, oui, balbutie le vilain, terrorisé. Soyez sans crainte. Je disais ça...

— Pour plaisanter ?

— Oui, pour plaisanter.

— Eh bien ! ne plaisantez plus ! Là-dessus, tous les trois, vous allez battre les environs pour vous assurer que ce damné Français ne s'y trouve pas. Notez bien que je rêve de lui mettre la main dessus ! Je compte sur vous !

Les trois hommes sortent par la porte de devant. M'est avis, Sana, que tu devrais planquer tes noix, mon grand. Je mate autour de moi. J'aperçois les voitures parquées soigneusement, briquées à mort, pimpantes. Me dissimuler dans l'une d'elles ? Hum, s'ils décident de les visiter, je serai pris comme un rat. Ils me videraient un chargeur dans la viandasse sans que j'aie pu manifester ma réprobation. Alors ?

Vite ! L'idée ! Cher ange gardien, ne joue pas au con ! J'entends déjà les pas des gaziers qui se rapprochent. Bon ! Tout m'arrive au bulbe avec une précision d'ordinateur. Je dois réaliser cette action en moins de dix secondes. Primo : ouvrir davantage la porte. Heureusement, le rail en est bien huilé et je l'écarte de trente centimètres sans faire de bruit. Deuxio, j'ouvre le couteau du gars Conrad. Cela fait, je l'empoigne par la lame. Je me rappelle t'avoir dit que, pour accomplir une délicate mission de cornecul, j'avais suivi des cours de lancement de ya. Ceux-ci m'avaient été dispensés par un vieux malfrat surdoué en la matière. La môme Tout-cuir me tourne le dos. Elle est occupée à fourbir son pistolet, car c'est une vraie pro qui nettoie son rasoir électrique après usage. Je me dresse par l'ouverture de la lourde et vise son épaule. J'aime pas faire du mal aux dames, mais quand tu viens d'assister à des assassinats de ce style, Emile, tu te sens démuni de toute pitié.

Vzziiiif, fait la saccagne en filant au but.

Hhhan ! fait la nière en la recevant sous l'omoplate.

Je pénètre dans l'atelier, referme la lourde et bondis sur la gonzesse. Moi, pas de flafla : directo un crochet au menton. Un vrai, pas le modèle fillette, le modèle champion du monde poids lourds ! Ça craque et elle est foudroyée. Première partie du coup de main réussie.

Quelle aventure, madoué !

Je t'ai raconté l'histoire de la chèvre en chaleur qui n'arrivait pas à joindre les deux boucs ? Non ? Tu sais pourquoi je te l'ai pas narrée ? Je la connais pas !

Bon, que faire à présent ? Pas le temps de perplexer, Tonio, mon grand. Tu es câblé, faut poursuivre. Je te parie un leader contre un dealer que tu vas prendre ta décision avant les grandes vacances.

Oui, c'est ça : pas d'autre soluce. Je ferme les portes arrière de l'ambulance, coltine la gonzesse sur le siège passager, achève d'ouvrir en grand la lourde donnant sur la route et vais me mettre au volant.

La fille en cuir pend, dans la chignole. Elle ne tient que par la ceinture de sécurité que je viens de lui boucler. Je démarre doucement et m'avance jusqu'au seuil de l'atelier. Coups de périscope rapides. Sur la droite, j'aperçois l'un des infirmiers. Les deux autres mecs restent invisibles. La jeune mère continue de bercer son lardon au milieu de ce carnage. Alors j'opte pour la gauche qui est l'itinéraire que j'ai pris en venant et je décarre sans problo. Dans le rétro, je vois la petite maman qui se dresse de son banc pour mieux me regarder filer. J'accélère progressivement ; parvenu au sommet du mamelon évoqué naguère, je mets la sauce et bombe comme un fou en direction de la nationale.

Ouf ! Me suis arraché, mais à quel prix ! J'ai une conscience de papier chiotte usagé : c'est à cause de ma feinte que trois hommes sont morts ! Note qu'il n'y en aurait eu qu'un seul si cet enviandé de concierge n'était pas allé me balancer aux archers. Enfin, inutile d'épiloguer.

C'est beau de foncer, mais pour aller où ? L'hôtel, il n'y faut plus songer. Chez les poulets, avec la gonzesse blessée et leur chargement de collègues défunts ? Ils risqueraient de trouver mon rôle étrangement bizarre, non ? Et pendant ce temps, Toinet, Félix, la mère Foulemoi sont entre les griffes de ces tigresses ! Je commence à glaglater férocement pour eux car nous avons affaire à des paroissiennes qui n'ont pas froid aux carreaux.

Parvenu à la nationale de départ, je décide de gagner Vienne. Ce que j'y maquillerai quand je l'aurai atteinte fera l'objet d'inspirations ultérieures. Pour l'instant, ce qui importe c'est de me garer de ces pieds-nickelés et d'avoir la gonzesse à disposition. T'ai-je indiqué qu'avant de filer j'ai empoché son feu ? Non ? Ben, je.

Et ça me réconforte mieux que de la menthe forte. Quand tu fais la guerre, t'aimes avoir des armes, sinon t'es trop humble et tu manques de conviction.

Je n'ai pas parcouru quatre bornes que j'avise dans mon vade retro viseur Satana, une Porsche lancée à toute vibure. Et moi, tu connais mes prémonitions ? « Ça, Mon Tonio, me dis-je, c'est sûrement les complices de la môme qui rabattent. Justement, y avait une Porsche bleu métallisé toute pareille à icelle dans le parking d'exposition. »

J'enclenche la sirène de mon ambulance et me voilà, pied au parquet de la tire, à fendre la bise de la forêt viennoise. Seulement, une Porsche, hein ? T'as beau champignonner à mort, prendre les pires risques et pisser contre les feux rouges, hein ?

Elle gagne, la garce ! Lorsqu'elle s'est considérablement rapprochée, je peux distinguer en effet les deux infirmiers derrière le pare-brise. Ils n'ont même pas pris le temps d'ôter leurs blouses blanches !

La chignole sport me rejoint et entreprend de me doubler. Je me dis qu'il va y avoir distribution de valdas. Et puis non : les lascars me passent, puis se rabattent devant ma pomme. Celui qui occupe la place du passager a longuement maté l'avant de l'ambulance. Il a repéré sa patronne et c'est la raison pour laquelle il n'a pas défouraillé. A l'allure où je roule, un boudin éclaté pourrait avoir des conséquences fatales pour la dame.

O.K., mais alors, quelle tactique comptent-ils adopter ? J'accélère, me disant que s'ils n'en font pas autant, je vais leur filer un grand coup dans les miches. Ils s'empressent de forcer l'allure. La circulation est assez fournie. Dommage, sinon moi je les aurais volontiers pralinés pour les expédier dans le fossé ; mais ça risquerait de provoquer un monstre accident et il y a eu assez d'innocents rectifiés comme cela.

La belle campagne déferle de part et d'autre. Un soleil timide d'avant-printemps avive un peu les couleurs de la nature... Et Bibi, je roule en touillant des pensées si cacateuses que même avec Omo tu leur rendrais pas l'éclat du neuf.

On va où, commako ? Et ça donnera quoi quand je stopperai ?

La môme Pur-Cuir est toujours inanimée. Détail cruel : elle a encore le couteau de Conrad dans la viande. Heureusement qu'elle se tient penchée vers le tableau de bord, sinon la lame pénétrerait plus profondément. Pour lui retirer ce cure-dents de sous son omoplate, faut avoir ses aises, s'y prendre mollo. Et il serait bon qu'un médecin s'en chargeât.

Je mate au loin. Bientôt la ville. Agis, Sana ! Agis, déconne pas ! Et brusquement, voilà que mes deux gaillards d'avant se mettent à foncer comme des lévriers. Qu'est-ce qui leur prend ? Ils décramponnent ? Changent de tactique ?

Je ne tarde pas à piger. Ces deux salopards, tu sais quoi ? Non, mais écoute ça : ils rejoignent deux motards de la police qui roulent devant nous, au loin. Le grand jeu ! Gonflé, non ? Et j'ai la raie du dos qui sert de cheneau à ma sudation spontanée. Résume ma posture, Arthur : je pilote une ambulance qui ne m'appartient pas, à l'intérieur de laquelle se trouvent trois policiers assassinés. J'ai pour passagère une femme inconsciente avec un poignard fiché entre ses côtelettes. Mes empreintes figurent sur le manche et la lame du dit et le pistolet ayant tué l'un des poulets se trouve dans ma poche. On a déjà vu des erreurs judiciaires reposer sur des éléments moins solides, non ? A ton avis, Louis ?

Plus un poil de sec, l'Antonio bien-aimé! Pour se tirer du merdier qui se prépare, va falloir beaucoup prier, et pas du *Notre Père* bâclé, surtout! Promettre d'aller à Lourdes! Et puis de visiter les vieillards infortunés dans les hospices pendant dix ans au moins! Promettre également de ne plus baiser que son épouse légitime (comme j'en ai pas, va falloir que je m'en achète une, ou bien que je fasse abstinence!).

Moi, dans ces cas extrêmes, je branche le pilotage automatique et m'en remets au guidage radar. A vous les commandes, Seigneur gentil. Vous m'avez arrangé les bidons jusqu'à présent, continuez! Tu crois qu'Il se fait prier? Pourtant, Il a l'habitude de l'être, non? Carrément, Il traverse la route au nez des capots survenants. Y a du bruit de freins, ça espère! Je faille dérouiller un camion citerne dans les badigoinces. A l'heure qu'on me met sous presse, le conducteur, un certain Ernst Haben, de Salzbourg, est encore en train de flouzer dans ses hardes, tellement qu'il a eu les chocottes. Père de quatre enfants, dis, ça craint! Une vieille mère paralysée à charge, une deuxième mère dans une maison de retraite et une troisième dans l'enfance! Tu mords un peu la tragédie?

Je viens de me faufiler dans un chemin qui sinue entre des maisons de banlieue. Constructions modestes mais confortables. Y a *nobody* dans la rue, biscotte les occupants sont à la jaffe choucrouteuse.

Le Seigneur, toujours mansuéteur, oblique à présent dans une grande cour bitumée, au pied d'un petit immeuble locatif de deux étages. On a tracé des rectangles à la peinture blanche sur l'asphalte et chacun de ceux-ci comporte les lettres et les numéros d'une plaque minéralogique de voiture. Je stoppe l'ambulance derrière le mur et vais aux quelques autos stationnées. L'une d'elles est toute chaude encore et ses clés de contact pendent au tableau de bord. En vitesse, je récupère la môme inanimée et la transbahute de l'ambulance dans la BMW brune. N'après quoi, le Seigneur m'incite à prendre place au volant et à rebrousser rue. Lorsque je rallie la grand-route je ne vois plus rien d'inquiétant. Chose à peine croyable, ma manœuvre désespérée et téméraire n'a pas été vue de mes tourmenteurs, occupés qu'ils étaient d'alerter les perdreaux. Il y a dû avoir ces trois secondes d'inattention au cours desquelles ils m'ont perdu des yeux pour aborder les matuches. Le temps qu'ils se retournent, j'avais disparu. Comme quoi, si tu ne crois pas en la providence c'est que t'es rien d'autre qu'un potiron pourri sur pied. Soucieux de ne pas réitérer mon exploit sur traversée de bande blanche continue, au lieu de poursuivre sur Vienne, je vire à droite et repars en sens contraire. Tu sais, dans mon foutu métier, faut pas craindre les fausses manœuvres. Je roule peinardos quelques kilomètres quand un motard me dépasse comme s'il courait le Bol d'Or et qu'il ait juré à sa bonne femme de le gagner. Bien entendu, il ne m'accorde aucune attention, vu que c'est une ambulance blanche qu'il cherche, le nœud.

Je vais mon petit bougre de chemin. La fille reprend enfin ses esprits. Quelques gémissements avant-coureurs me donnent à penser que je vais pouvoir envisager bientôt une instructive conversation avec elle. Un chemin sur la droite part en direction de la forêt d'un vert presque noir. On va toujours renifler un peu de chlorophylle, ça nous fera du bien.

Une lumière végétale règne entre les fûts. Je parcours un ou deux kilbus pour m'enfoncer au cœur des grands bois. C'est plein d'allées cavalières, de mignonnes clairières proposant des bancs. Il y a même, au centre de l'une d'elles, un abri de rondins couvert de chaume avec des tables et des sièges de ciment. Je remise la voiture de l'autre côté de ce kiosque charmant et me renverse sur le dossier de la banquette.

Je suis exténué, j'ai faim, mes mains tremblent. Franchement, on aurait dû aller à Abano rejoindre Félicie.

DESSINE-MOI LA MARCHE À SUIVRE

— Ne vous agitez pas, Miss Meurtre, fais-je à la fille en cuir, vous avez un couteau sous l'omoplate droite.

Elle gémit. Tourne vers moi un visage délabré, creusé par la douleur où se lisent la souffrance et la haine.

— Je vous le retirerais bien, poursuis-je, mais je crains de commettre une fausse manœuvre. On m'a toujours dit qu'il ne fallait pas arracher l'arme blanche de la plaie, si l'on n'est pas toubib, sinon on risquait de faire des conneries, genre hémorragie, vous voyez ce que je veux dire ?

Je bâille.

— Notez que, le temps passant, l'infection doit s'y mettre. Bien sûr, il vous faudrait l'hôpital et un chirurgien.

Je passe ma dextre par-dessus l'accoudoir nous séparant et palpe ses fringues pour m'assurer qu'elle ne détient pas d'autres armes. Rassuré, je descends de bagnole et m'approche du kiosque pour promeneurs bucoliques. Drôlement équipés, ces Autrichiens. Kif les Suisses et les Allemands. Il y a le téléphone contre les chiottes aménagées près de cet abri à pique-niqueurs.

Je sors de ma poche la carte que m'a remise la réception de l'hôtel *Metternich* et qui comporte le numéro de ma chambre. J'ai de la mornifle et il m'est loisible d'appeler l'établissement.

— M. Jérémie Blanc, je vous prie ! fais-je à la standardiste avec une telle autorité que, s'il n'était pas encore arrivé, elle me le passerait quand même.

Mon guignolet bondit en entendant l'organe de Jérémie.

— Dieu soit loué, Négus ! exclamé-je, tu es à pied d'œuvre.

— Depuis exactement quinze minutes.

— Et le Gros ?

— Il vide le mini-bar de la chambre. Où en es-tu ?

— Jusqu'aux lèvres.

— Quoi ?

— Je veux parler de la merde. Je baigne jusqu'aux lèvres dedans, mon pote. Un écureuil y ferait tomber une noisette, ça y est, j'en avale !

Je lui fais un résumé des récents événements.

Il m'écoute en silence. Temps à autre, je perçois l'organe de mélécasse du Mammouth qui réclame d'être informé et prétend s'emparer du combiné. M. Blanc le rebuffe sèchement avec des « Fais pas chier, gros con » qui en dit long sur la qualité de leurs relations.

— Blanchounet, poursuis-je, vous allez devoir vous manier la rondelle pour me sortir de cette fosse d'aisance. Primo, louer une fourgonnette toutes affaires cessantes. Secundo, quitter Vienne par la route de Gratz. Lorsque vous aurez traversé une localité appelée Verredekirsch, vous ralentirez. Environ quatre ou cinq kilomètres plus loin, vous prendrez un chemin forestier à droite. Il est indiqué par un sapin stylisé peint sur un panneau blanc. Je crois me souvenir que, peu avant ce chemin, il y a, en bordure de route, une hostellerie neuve flanquée d'une espèce de tour qui représente un moulin à vent. T'as bien pigé ?

— Au rasoir, mon drôle.

— Parfait. Vous pénétrerez dans la forêt et continuerez jusqu'à ce que vous aperceviez une clairière équipée d'un kiosque en chaume. Une voiture est stationnée derrière ce kiosque et ton serviteur vous y attend déjà.

Je raccroche. Un sentiment rose et tiède, qui ressemble à un début de bonheur, m'enjolive l'instant. Savoir mes deux potes à quelques kilomètres, prêts à voler à mon secours, me dope. Je commence à reprendre confiance.

En sifflotant, je vais reprendre ma place derrière le volant de la tire empruntée. C'est pas pour m'apitoyer en vain, mais la fille ne me semble pas au mieux de sa forme. Ça ronfle laidement quand elle respire. Son souffle est court. Doit avoir un pneu crevé, la mère, et son poumon droit roule sur la jante. Si on tarde à la soigner, elle va droit aux complications pulmonaires. Manière de lui casser les nerfs, au lieu de la questionner bille en tête, je branche la radio. Ils donnent les cours de la Bourse, ce qui m'a toujours laissé froid comme un nez de chien vu que les seules actions que je pratique sont celles (bonnes ou mauvaises) que me propose la vie courante. Je tripoune les boutons pour sélectionner de la musique et je me fixe sur un « ensemble » en train de rocker *L'Oiseau de feu* de Stravinski, ce qui est assez plaisant. Et ensuite, le même groupe interprète (c'est le mot puisqu'il traduit) *l'Ave Maria* de Schubert Roger.

La blessée, en quelques minutes, est à bout de tolérance. Dis, faut la comprendre : durement touchée, la respiration nasée, un poignard dans le dos, se farcir de la musique rock auprès d'un mec silencieux, c'est plutôt poignant comme martyre, non ? T'avais déjà lu ça dans *Le Chasseur Français ?* Ah bon ! Ben, je vais tâcher de t'inventer autre chose de plus corsé. Tu sais, les grandes idées c'est comme les cons : elles passent leur temps à se rencontrer.

Après *l'Ave Maria,* on a droit à un crooner germano-hollandais qui y va à la mouillette dans la langue de Schiller, avec reprise du refrain en britiche paléolithique. Alors là, elle n'y tient plus, Ninette. Elle fait tout à coup, dans un élan désespéré :

— Ne me laissez pas mourir !

Je baisse le son de la radio.

— Hé, dites, princesse, faut pas chérer ! Vous massacrez les gens sordidement et parce que vous avez une malheureuse écharde dans la viande, vous vous mettez à crier au secours ? Faut assurer, dans la vie. Quand on est une tueuse, on n'a pas peur de la mort, ou alors fallait ouvrir une pizzeria.

Et je remonte le niveau sonore. Lui montrer qu'il a tout son temps, le bel Antonio ! Manque de pot, voilà une chignole qui se pointe avec deux crabes à son bord. Un couple. Du genre conquérants de la nature. Chemise de laine à carreaux, complet de velours, chapeau à plume. Le Tyrol tel qu'on le conçoit dans *L'Albergo du White Horse*. Ces deux vieux pafs vont pas venir me casser la baraque, bordel ! La môme qui les a retapissés se fout à gueuler. Je lui stoppe la goualante d'un coup de coude dans l'estom' qui la plaque contre le dossier de la banquette, lui valant ainsi deux centimètres de lame supplémentaires entre les côtes.

Le couple est en train de se dévoiturer, inquiet. C'est là que le génie se manifeste chez l'as des as de la Rousse françouaise. Vivement, je me débraguette, extrais Médor de sa niche et sors de la bagnole avec le pafomètre au vent ! Tu verrais la bouille des promeneurs viennois, Eloi ! Ils n'en croivent pas leurs châsses !

— Salut, leur fais-je-t-il aimablement ; vous venez vous faire une petite bricole forestière, vous aussi ? Vous avez raison : une bonne troussée sous les arbres, ça remet le moral au beau fixe !

Dedieu ! Te réenfournent leur guinde, les pauvres biquets ! Le mec est si pressé qu'il cale deux fois avant la décarrade.

— Cochon ! me lance-t-il par sa vitre baissée, en s'éloignant.

Ça n'est, ni n'a jamais été un tendeur ! Je me rajuste

et reprends ma place. Cette fois, Madonna est en train de haleter. J'ai idée que sa perforation est plus importante que je ne l'imaginais. Faudrait pas qu'elle me lâche avant d'avoir jacté, Miss Cuir.

— Si j'avais un peu d'Aspirine, je vous en donnerais volontiers, lui assuré-je, mais vous savez ce que c'est, nous autres, Français, on s'en va les poches vides car on est imprévoyants.

— Il... faut... un... docteur ! bégaie-t-elle.

— Là, je suis d'accord, je vous l'ai déjà dit. Et un bon ! Telle que je vous vois, c'est le goutte-à-goutte, les antibiotiques, tout le chenil !

— Vous êtes sans pitié ! lâche la femelle d'une voix mourante.

— Tandis que vous, vous rayonnez d'altruisme lorsque vous flanquez trois kilos d'air comprimé dans le cul d'un flic, n'est-ce pas ? Jusqu'à ce que ses tripes éclatent !

Elle ferme les yeux.

— Où est mon petit garçon ? lui demandé-je à brûle-pourpoint. Et les deux vieux ? Hein ? Qu'en avez-vous fait ?

Silence.

— Bon, vous préférez crever sans soins plutôt que de parler ? Bravo, c'est héroïque ; seulement ça ne mène pas loin. Me dire où ils se trouvent ne constitue pas un secret d'Etat, bordel ! Ils sont plus inoffensifs que trois chatons sur un coussin. Je me demande même ce qu'on peut leur vouloir à ces trois innocents. Ils n'ont rien à dire, rien à donner.

— Si ! chuinte la blessée.

— Alors expliquez-moi !

— Vous ne les retrouverez pas, balbutie-t-elle.

Elle perd connaissance. Un élan de pitié me taraude. Que puis-je faire pour la soulager ? L'emmener devant un hosto et donner l'alarme avant de m'éclipser ? Tu parles d'une amazone ! Elle ne jactera pas, malgré sa trouille de trépasser. Elle a été formée pour, la cavalière Elsa. C'est de la race des kamikazes. Qu'on se demande comment certaines gens sont à ce point survoltés par un idéal au point de lui consacrer leur existence. On dirait qu'ils s'en foutent de finir. Pourtant, la vie, y a pas de lot de consolation. C'est pas le Tacotac où tu peux gratter avec l'ongle, faire surgir des numéros magiques. Tout ce que je me gratte avec l'ongle, mézigue, c'est la peau des couilles. L'épopée n'est jolie que dans les histoires. Faut voir après. Ben Hur converti en cocher de fiacre ! Toujours commak. Tu peux rien.

Elle est *out*, la mère, pour de bon. Son teint déjà pas pimpant prend une couleur plus que blanche comme si tu l'aurais lavée avec Omo Souplesse. Mais, Seigneur, la v'là qui passe ! Comme l'Hirondelle du Faubourg ! Est-ce possible que je l'ai touchée à mort ! Y a quoi sous l'omoplate, docteur Mabuse ? Le poumon, vous croyez ? Et on clamse d'une perforation du poumon ? Merde ! J'ai pas voulu cela !

J'en prends un grand coup dans le portrait. Y a maldonne, messire Destin ! Je touche son front : il est couvert d'une sueur glacée. Ses narines se pincent. Son souffle bat de l'aile et décroît. Morte !

D'une main féroce j'arrache le rétroviseur et le place devant la bouche de la fille. Respiration : néant !

On fait quoi dans ces cas extrêmes ? Quand on est Santantonio, policier de choc et homme de cœur ? Une larmiche ? A quoi bon. Un bout de prière ? A la rigueur. Pari de Pascal. On verra bien si on ne voit rien !

Accablé, je déboule de la tire. Et voilà qu'une fourgonnette blanche surgit. Klaxon sur l'air archiglandu de *On a gagné.* Sortie du Parc, après la victoire au rugby ! Ce sont mes supporters, les très fameux duettistes Bérurier-Blanc. Je me pointe vers leur véhicule. Le char du soleil levant ! Je les embrasse. Le Gros pue le dégueulis triple zéro. Jérémie sent la savane.

— Je suis dans la pire scoum, les gars ! balbutié-je. L'archinoire, la super-merdique.

Pour me consoler, Alexandre-Benoît entonne *Les Matelassiers*, dès lors M. Blanc hennit :

— J'en ai class de ton sac à merde, Sana ! Ce porc déguisé en goret est complètement bourré. Ne te fatigue pas à lui raconter ton histoire, il ne se rappelle même plus son nom !

Bibendum veut protester, mais il a vraiment trop humecté la meule !

— J'ai envie de l'endormir d'une infusion de marrons, non ? interroge le Noirpiot.

J'ouvre le hayon de la fourgonnette.

— A la niche, Médor ! enjoins-je au Mastar.

Il tente de me regarder, mais ses yeux sont comme deux yo-yo à bout d'élan, qu'arrivent plus à remonter la ficelle. D'une bourrade je le fais basculer à l'intérieur du véhicule dont je reclaque la lourde.

— Tu parles d'une caravane de secours ! fais-je amèrement.

— Tu m'as dit de l'amener ! proteste M. Blanc.

Il s'approche de la voiture où gît la môme Tout-Cuir. Je le vois enfiler des gants de pécari et se pencher sur le cadavre. Son examen se prolonge et moi je commence à me faire vieux dans cette funeste clairière. Près d'une plombe que j'y moisis parmi les cadavres et l'agonisante. T'aurais le moral fourchu pour moins cher.

— Tu prends un moulage, ou quoi ? lancé-je au bronzé.

Il se redresse enfin et vient me rejoindre en ôtant ses gants d'une manière quasiment doctorale.

— La lame du couteau est enduite d'une substance que je suppose nocive, m'annonce Douglas Fer-Blanc. T'as pas eu la curiosité de la sentir ?

— Tu sais, je n'ai ouvert cette saccagne que pour la lancer.

— Ton maître chanteur l'a frottée avec un produit vénéneux, Antoine. C'est pour cela que la fille est clamsée.

Quel hymne s'élève soudain dans ma conscience

dévastée ! Irremplaçable Jérémie. Il me redonne la paix de l'âme, cette grâce infinie.

Nous montons dans la fourgonnette. J'ai fugacement l'impression que le moteur est déjà en marche, en réalité ce sont les ronflements de l'alcoolo qui font vibrer la voiture. Je démarre avec fougue, tellement j'ai hâte de m'éloigner de cette nécropole.

— Tu sais où tu vas ? demande mon pote.

— Un peu. Devine ?

— Tu retournes chez le garagiste ?

— Gagné !

— Pas grand mérite. Il n'y a que par lui que tu peux espérer trouver la piste des amazones.

DESSINE-MOI LE PLAN DE LA BOUTIQUE

Je stoppe devant les colonnes d'essence. Toujours s'assurer que la voie est libre. Bien m'en prend car j'avise le bonhomme en grande converse avec deux poulagas, lesquels prennent des notes. Probable que ses complices, quand ils m'ont balancé aux motards, ont signalé le numéro minéralogique de l'ambulance, puis ont alerté ensuite le garageo pour qu'il déclare le vol de la tire. Messieurs les archers autrichiens viennent recueillir sa déposition.

La femme au bébé s'approche de notre fourgonnette. C'est une personne jeune et grassouillette, au ventre encore déformé par sa maternité récente, aux chairs blanches et molles, avec des tifs si gras que tu pourrais t'en servir pour faire de la soupe aux choux. Elle porte un manteau de vilain drap d'un vilain gris sur son vilain lard et s'est chaussée de vieilles groles éculées.

— Le plein ! jeté-je.

Elle va dévisser le bouchon d'essence et décrocher le tuyau verseur. Sur ces entrechoses, les deux poulardins quittent le garagiste, grimpent dans leur tire et s'esbignent. Ouf ! Grand merci, nobles messieurs, de nous laisser le champ libre !

La jeune mère vachasse remonte notre véhicule et grommelle :

— Il est plein, votre réservoir. J'en ai mis quatre litres et ça déborde !

— Ah ! ben alors, c'est que ma jauge est détraquée, je lui fais-je. Faut que je demande au monsieur qui est là de la vérifier.

Je lui règle ses quatre litrons de benzine et elle achemine sa graisse rançante vers le pavillon où son moujingue bieurle tout ce qu'il ne sait pas encore en allemand vagissant.

Le mari vient de rentrer dans l'atelier. Je fais signe à Jérémie de me suivre et nous rejoignons le bonhomme. Il nous frime d'un œil revêche. Pour le moment il patouille dans des béchamels tourmentantes et il a pas envie de voir des clilles.

— Vous désirez ? il demande.

Il a pas le temps de piger. Je lui confectionne un crochet au bouc qui va faire le bonheur de son dentiste. Ça retentit comme l'éviction d'un bouchon de champagne récalcitrant et le champion de la vis platinée s'effondre avec les yeux tournés vers les giries de sa conscience.

— Et ensuite ? imperturbe M. Blanc.

— On le déculotte et on l'installe sur son établi.

— Pourquoi le déculotter ? s'inquiète Mister d'Ebène, t'as viré de mœurs, grand ? Si oui, tu pourrais trouver mieux à aimer que cet individu.

— Je veux lui rendre la monnaie de sa pièce. Attache-le avec ce que tu trouveras.

Dans un garage, tu déniches de tout, y compris des câbles de freins. Jérémie en utilise deux pour ligoter celui que la fille Tout-Cuir appelait Johan. N'après quoi, je mets le gonfleur en place et enquille son embout dans le dargif du mec.

— T'es répugnant ! marmonne M. Blanc. D'autant qu'il pue !

— Les oignons les mieux lavés fouettent toujours, soupiré-je, c'est une des dures lois de la nature. La marque honteuse de notre faiblesse humaine.

J'actionne la poignée d'admission. Un gros plouf se produit entre les miches du garagiste. Ça le tire des limbes. Il bat des ramasse-miettes, façon jeune pianiste ingénue qui regarde son professeur déboutonner sa braguette pendant qu'elle s'emberlife avec *La lettre à Elise*.

— C'est pas un bloc de factures, que j'aperçois là-bas sur ce bout de bureau ? dis-je.

Blanc va chercher le dit, empare *idem* une pointe Bic qui passait par là et revient.

— T'es prêt, Johan ? je demande au garagiste.

Il coule comme un vieux brie oublié au moment d'un départ en vacances.

— Mais qu'est-ce ? Mais qui ? Mais que ? Mais quoi ? bafouille le zigus.

— Ta gueule, moribond ! le coupé-je. Trois hommes ont été abattus de sang-froid ici, tout à l'heure. Trois policiers ! Rien n'est plus coûteux que la viande de flic ! Le caviar, en comparaison, c'est moins cher que des topinambours.

Je lui balance un jet d'air comprimé. Il hurle. Une vilaine odeur retentit, comme l'eût écrit le cher et valeureux Ponton du Sérail. Ça lui fait lavement, à cézig gusman. Faut dire qu'il a un fion grand comme l'entrée du tunnel sous Fourvière si tant connu des tomobilistes vacanceurs. M'est avis qu'il a dû être à voile et à vapeur autrefois, l'artiste ! Peut-être l'est-il toujours ? T'as des tas de gentils papas qui prennent du rond comme des folles à leurs moments perdus.

— Faites pas ça ! il égosille.

— Ta gueule ! intimé-je. Tu ne parles que pour répondre à mes questions. Et si tu n'y réponds pas, ou si tu y réponds mal, je te file tellement d'air dans le dargeot que tes concitoyens croiront qu'une montgolfière survole leur patelin. Je t'ai vu à l'œuvre, tout à l'heure. Tu prenais un panard monstre à gonfler le pauvre poulet, mon salaud. Alors, pas de pitié ! T'es un peu tantouzette sur les bords, toi, avec tes pognes pleines de cambouis. Si je raconte ça à ta petite femme, elle va tomber de haut ! Bon, tu es prêt ?

Un lâcher de gaz ponctue ma question et ajoute à ses débâcles morales et intestinales.

— Parle-moi de la tueuse habillée de cuir qui a froidement abattu l'un des flics et fait éclater l'intestin de l'autre ?

— Elle se nomme Elsa Labowicz, répond-il docilement.

— Nationalité ?

— Bulgare.

— Profession ?

— Elle travaille à l'ambassade de Bulgarie à Vienne.

— Tu la connais d'où ?

— Je suis moi-même d'origine bulgare. J'ai travaillé avec elle.

— Quelle branche ?

Là, quelques fortes giclettes sont nécessaires pour le mettre au diapason.

— Espionnage.

— Tu es toujours dans le coup ?

— Occasionnellement, on fait appel à moi.

— Elle fonctionne avec des copines, cette garce, n'est-ce pas ?

— Exact.

— Leurs noms ?

Ses réticences sont une nouvelle fois balayées par la bourrasque du gonfleur.

— Je ne connais que le nom de celle qui dirige la section : Katarina Swoboda.

— Description ?

— Très grande, blonde, les yeux d'un bleu étrange. Une cicatrice à la lèvre supérieure.

— Et où trouve-t-on ces jolies dames ? Je suppose que pour leurs activités marginales, elles disposent d'un local indépendant de l'ambassade ?

— Elles ont une boutique de couture dans Kärntnerstrasse.

— O.K. : parle-moi de cette boutique.

— Qu'est-ce que vous voulez savoir ?

— Son fonctionnement, sa topographie.

— Eh bien...

Pour le sport, je lui flanque une gonflette. A peine

cinq cents grammes, qu'il se sente ballonné. Tu parles d'un récital quand il se dégagera la tuyauterie! Le grand largo de Haendel, il va interpréter à sa bergère, l'horrible!

— Arrêtez!

— On n'a pas terminé, tu sais, Johan, tant s'en faut!

— Vous n'allez pas me faire mourir!

Il a pris goût à l'existence, pépère, entre son mioche et sa gerce cradoche!

— Ça dépendra de ta bonne volonté.

Alors, bon, il raconte les lieux dans Kärntnerstrasse : la boutique, l'arrière-boutique, atelier de retouches, la cour intérieure pavée, le garage dans le fond avec une porte contiguë donnant sur une salle de gymnastique. Attenant à la dite salle, se trouve un appartement modeste. La salle de gym est fermée au public. C'est là que les donzelles cultivent leur forme et s'entraînent au pistolet. Là également qu'elles procèdent à des interrogatoires, le cas échéant. Je l'embrasserais, le Johan!

— Eh bien, voilà qui est parfait, mon cher ami, lui dis-je en arrachant l'embout de sa tirelire intime. Elle se prénomme comment, ton épouse?

— Marie-Thérèse, pourquoi?

— Très joli prénom. Classique, historique, même. Détache-lui les mains, Jérémie.

Mon noir copain obtempère. Je dépose le bloc de factures vierges et le stylo bille sur l'établi.

— A présent tu vas m'écrire une petite déclaration résumant ce que tu viens de me raconter.

— C'est impossible! regimbe-t-il.

— Tu ne vas pas me dire que tu préfères une balle dans le cigare? T'as vu cette arquebuse, Toto? Je te flanque une bastos dans le portrait et y a plus rien sur tes épaules. Cela dit, cette confession ne sera utilisée que si les choses tournaient mal pour moi, alors, coopère mon grand, faut être convivial. Tu es prêt?

Il finit par dire que oui, après avoir regardé le fond de l'œil de mon parabellum. Il rédige sous ma dictée ces choses que tu viens d'apprendre en même temps que moi. Lorsqu'il a terminé sa compo, je la relis à cause des fautes d'orthographe, la plie en quatre et la glisse dans ma poche.

— Monsieur Blanc, fais-je, voulez-vous aller chercher l'épouse de monsieur et la faire monter à l'arrière de notre fourgonnette ?

— Qu'allez-vous faire ? glapit le garagiste.

— Prendre nos précautions : on embarque madame, mais on te laisse le baby. Tu sais le langer, j'espère ? Quand on aura fini avec notre petite affaire, on te rendra ta pétasse. T'as intérêt à ce que ça baigne, mec ! Dans l'huile plutôt que dans le sang !

Je vais ramasser son grimpant et y prélève le revolver chromé que j'avais décelé en le lui ôtant. Deux seringues valent mieux qu'une lorsqu'on prépare un coup de main.

— Tu sauras détacher tes pinceaux tout seul, bonhomme ?

Il est trop abattu pour répondre. Faut dire qu'il lui en arrive des sévères, ce matin !

— Si tes potes de tout à l'heure te recontactaient, motus, hein ? Dis-toi qu'en ce moment t'as un pied dans la merde et l'autre sur une plaque de verglas. Au moindre éternuement il t'arrivera des turbins funestes qui te transformeront en engrais azoté. Quand on a une famille, Johan, faut plus jouer au cow-boy ! Tchao !

Moi, franchement, je la trouve du genre plutôt passive, Marie-Thérèse. Elle entrave pas lerche à ce qui lui arrive, mais elle s'écrase, ayant subodoré que c'était la seule conduite à adopter.

— Elle n'a pas fait de rébecca pour te suivre ? demandé-je à M. Blanc.

— Non ; je lui ai simplement dit que j'allais manger son môme si elle faisait de l'obstruction, alors elle est devenue coopérante à fond. Je suppose qu'on va se lancer dans la couture ?

— Tu voudrais plutôt aller au ciné, toi ?

Comme y a pas la radio sur ce véhicule utilitaire, je me mets à chanter. J'interprète le grand air de *Paillasse* parce qu'il me fait marrer, ensuite je passe *Aux millions d'Arlequin*, because c'était la chanson de papa. Il la poussait au dessert quand on avait une fête de famille, jadis. Je reviens à notre époque en chantant *Morgane de toi*, de mon cher Renaud que tiens, salaud, y a lurette que tu ne m'as pas donné de tes nouvelles à vous trois ; et pour finir je brame *Etoile des neiges* en hommage à mes affinités savoyardes.

Je la boucle lorsque la voix goudronnée du Mastar retentit :

— Qu'est-ce c'est-il qu'cette pétasse dont je viens d'trouver en m'révéliant, les gars ? Mes hommages, chère mahéme, c't'à vous, ces beaux flotteurs qu'je palpe ?

— Laisse cette personne en paix, Gros ! fulminé-je. Elle n'est pas destinée à ta consommation personnelle.

Il entend faire éclairer sa lanterne et je lui brosse charitablement un bref résumé de nos récentes opérations.

— En somme, madame est une otagesse ? résume l'Infâme.

— Pratiquement.

— J'y bricolerais bien quéques agaceries pour rend' sa rétention plus joyce ! J'ai jamais supporté les trépidances, explique-t-il, é m'portent illico à la grosse veine bleue ; qu'y puis-je-t-il ? Je voye, en ch'min de fer, c't'encore plus probant. Au bout d'vingt bornes j'ai la godanche monstrueuse : faut qu'je calce coûte que coûte. C'est si vrai qu'une fois, j'm'ai embourbé un' vieillasse d'l'Armée du Salut dont on voiliageait dans l'même compartiment, moi et elle. Ah ! ça n'a pas été d'la sucrette ! Une nana qu'avait pas bouillavé d'puis l'Armistice, av'c un trésor sec comme d'la poudre à cartouches ! Vous m'imaginez moi et mon Pollux pour babasses esplosées ! Reus'ment qu'j'avais l'lard de mon casse-dalle pour m'lubrifier l'pilon ! Malgré tout, elle a dû finir l'voiliage debout, la chérie. Pour qu'é s'assoive, y eût fallu lu pratiquer une euthanasie locale. Et quand j'dis d'bout, c'tait av'c les cannes écartées. Comme m'disait l'contrôleur qu'avait assisté à l'opération : « Un outil comm' l'vôt', faudrait des mois d'équitation d'sus pour pouvoir s'l'respirer sans danger. »

Il rit gras.

— J'ai idée, reprend-il que ça carburerait avec l'otagesse qu'voici. J'lu d'vine une moulasse pas bégueule la moindre. L' temps d' lu voter deux trois papouilles signées Béru et elle a la motte fondante. On y sent, aux individuses, ces choses. Un vrai fourneau, son prose, à la médéme. Je vous paririerais tout c'que je voudrais qu'elle peut absorber des membranes encore plus conséquentes, genre celle de Félix. Une porte de grange ! Ça s'lit su' sa frime ! J'voye ça à la bouche. Les hommes, on les juge d'après le pif et les pouces ; les gerces, c'est la bouche. La frangine qu'est fendue d'une oreille à l'aut' avec des lèvres aussi épaisses, tu sais qu'le reste est à lavement.

Je roule sans vraiment l'écouter. Ces divagations érotico-gauloises, ça fait des lustres qu'il m'en récite, le Sandre !

Nous pénétrons dans Vienne. Cette capitale se compose de villages agglutinés à un centre romantique, d'après les guides, et comme ils ont raison !

Mes entrailles gargouillent comme celles du garagiste, naguère. Mais moi, c'est à cause de la faim qui me tenaille. Je n'ai rien absorbé depuis le repas hongrois pris avec Heidi, l'étrange marchande de cartes postales. Je coule une œillée à ma Pasha. Il est bientôt 18 heures de relevé. Avec toutes mes dépenses d'énergie, j'approche de la digue-digue, ce qui est fâcheux quand on s'apprête à donner l'assaut à la ligne Sigfried. Je stoppe en double file devant une boulangerie.

— Va m'acheter une petite clape, Jérémie : je la pile et mes genoux commencent à faire bravo.

Brave cœur, il obéit. Derrière, ça s'agite. Mister Goret ne parvient plus à refréner ses bas instincts. Il ne peut résister à la promiscuité et la fourgonnette tressaute comme si je convoyais une meute de chiens féroces.

— Hé, calmos, Gros ! tonné-je, tu vas rameuter la foule, avec tes enfourchements.

Mais il a franchi le point de non-retour. La digue du fion s'est emparée de l'homme. Il entreprend Marie-Thérèse à tout va, le bougre ! Déballe sa haute technicité de pointe ! En découvrant l'objet de son effervescence, elle se soumet, la dame. Elle a cet élan de charité qui humanise l'être. Elle le voit bien qu'un braque de ce calibre n'est pas contraignable. C'est du chibre de toute exception que tu ne peux domestiquer. Dans son Autriche incertaine, elle pouvait pas imaginer qu'il existât des chopines d'une telle ampleur. Alors, faisant contre machin lala, lalère, elle en prend son parti et celles de mon pote.

Il soupire, le Mammouth, depuis l'arrière de sa tire :

— Tu vois, grand, c'est la première fois que j'sus pompé par une pompiste !

Je devrais rire.

M'en abstiens. Parce que, pile devant moi, également stoppée en double file, se tient une seconde fourgonnette, plus vaste que la nôtre. La bâche rudimentaire qui la clôt pendant ses déplacements, a été soulevée et, dans l'ombre, j'aperçois les deux infirmiers de ce matin, agenouillés sur le plateau du véhicule, avec, l'un et l'autre un pistolet-mitrailleur en pogne. Les deux canons sont braqués sur ma précieuse personne. Voilà qu'ils me font le coup de Mesrine, ces veaux !

Une seconde, je me dis qu'ils vont défourailler et me déguiser en flûte de Pan, instrument fort usité dans cette région d'Europe. Et puis non ! Ils attendent. Une fille blonde, très grande, affligée d'une cicatrice à la lèvre supérieure, sort de la cabine de la camionnette adverse. D'un pas délibéré, elle vient prendre à mon côté la place qu'occupait M. Blanc.

— Ne bronchez pas, fait-elle, sinon vous serez déchiqueté à votre volant.

Elle avance sa main vers la manette de l'avertisseur et l'actionne brièvement. La camionnette de devant s'ébranle.

— Suivez ! enjoint la fille.

Elle tient une seringue hypodermique de sa main gauche et m'enfonce l'aiguille dans la miche droite.

— Cyanure ! me dit-elle. Si vous bronchez j'appuie.

— Prenez garde aux cahots, soupiré-je.

Le plus marrant, c'est que mon pote Béru ne s'est gaffé de rien. Il vit sa vie, le gueux ! Il gazouille à l'oreille de sa conquête :

— J'savais qu't'avais un vrai cent' d'accueil ent' les cuisses, ma gosse ! On direrait qu'j'te pratique d'puis des temps mémoriaux et qu'on fête nos noces d'or ! T'aurais-t-il pas été dépucelée av'c une batte d'baise-bol, des fois ? Moi, une chatte qu'j'y rent' comme en pays coquin, j'm'en méfille ! Avoue qu't'es tombée sur un salingue qui t'as déberlinguée av'c un magnum d' Dom Pérignon ?

Mais elle ne comprend pas le français et éprouve un plaisir indicible, ce qui lui fait deux raisons de ne pas répondre et de boire Contrex.

En plaçant ma tête contre ma vitre, je parviens à voir le rétroviseur extérieur de la camionnette et tu sais qui je distingue dans le petit rectangle de miroir ? Mister Johan en personne. Dis, il n'a pas hésité longtemps le garageo de merde ! Un coup de turlu à ces dames pour les rancarder sur mon retour. Ensuite il saute dans une camionnette et nous course. Il a le bigophone à bord de sa tire, pour les dépannages, c'est utile. Tout en roulant, ils conviennent de la marche à suivre. « Les autres » se lancent à notre rencontre. Y a eu jonction en cours de route. Et maintenant me voilà pris au piège.

L'aiguille frémit dans ma chair. Pas agréable de penser que cette garce peut me foudroyer en pesant un tout petit peu sur le piston de sa seringue ! Je les ai moites, crois-moi.

Mes pensées abondent. Des tas d'idées disparates. Faut trier. Tu penses, toi, que je vais me laisser niquer abominablement par cette panthère ? Dis, elle m'a pas regardé, Katarina Swoboda. Je me dis :

« Avant toute chose, il faut que Bérurier se dégorge le bigorneau afin de redevenir opérationnel. »

Cette fois, je suis tout ouïe, à l'écoute de son coït. Il lime comme un perdu et la frêle fourgonnette a des embardées brusques.

— Qu'est-ce qui se passe, à l'arrière ? demande la cheftaine de section.

— Un ami à moi fait l'amour à votre camarade garagiste, camarade. Ç'a été un coup de foutre réciproque. Les mystères de la passion !

Devant, la camionnette file son bonhomme de chemin par de larges artères. Les « infirmiers » se sont reculés jusqu'au fond du véhicule afin de soustraire leurs armes à la vue des passants.

— Ah ! cré nom' d'gu qu'c'est bon ! Youyouille, j'pars à dame, ma gosse ! Rate pas l' coche, toi non plus ! C'serait dommage ! Ah ! j'en peux plus, môme ! Je vas larguer l'dernier étage d'ma fusée. Oh ! la la ! Yop ! Brrrrrr ! Ah ! mouiiiii ! Chope, c't'un cadeau !

Il se tait. Pète, comme toujours dans ces cas-là.

— C'était bon, Gros ? lui demandé-je paisiblos.

— Du tonnerre ! La mère est anéantie ! Plein les galoches ! Les yeux vulnérés ! J'sais pas si t'as réalisé la troussée giante que ça a été ?

— Un séisme, mec. Le Stromboli en éruption ! Cela dit, il faudrait que je te mette au courant de l'évolution de notre situation. Pendant que j'étais stoppé, une camionnette nous a doublés : si tu lèves ta formidable tête de con, tu pourras l'apercevoir, là, devant nous. A l'arrière, il y a les deux mecs qui s'occupaient de l'ambulance, ce morninge. Ils ont chacun un pistolet-mitrailleur et me tiennent en joue. Tu vois ?

— Yes, mec. Mais qui est la jolie personne que je mate à côté d'toi ?

— Celle qui dirige le réseau bulgare d'espionnage implanté à Vienne. Elle tient une seringue contenant, paraît-il, du cyanure et a déjà planté l'aiguille dans mon prose. Il se peut qu'elle appuie et que je défunte. Auquel cas je compte sur toi pour lui faire une clé et lui craquer la nuque sur le dossier.

— Ben voilions ! c's'rait la moind' des choses.

— J'espère que vous parlez le français ? demandé-je à la donzelle.

Katarina Swoboda opine. Elle avance son bras droit jusqu'au tableau de bord pour me montrer un adorable pistolet bleuté.

— Je suis capable d'abattre votre forniqueur avant qu'il ne me touche, j'espère que vous n'en doutez pas ?

L'Antonio s'abstient de répondre. Trop tendu par l'éminence de ce qu'il mijote, le bougre. Avec le coude gauche, je frotte la poignée de la portière. J'agis de manière imperceptible, sinon ce serait râpé. Il ne me faut pas lurette pour atteindre mon but. A présent ne me reste plus qu'à guetter l'occase que j'appelle de tout mon être.

Quand tu désires intensément quelque chose, tu l'obtiens. Les circonstances finissent toujours par se plier à ta volonté, c'est une règle absolue. Ainsi, mon désir ardent est que la camionnette-pilote oblique à gauche ou à droite à un moment donné. La chose doit fatalement s'opérer ! Et elle se produit au plus fort de ma concentration. Le garagiste met son feu de signalisation à gauche et enquille la présélection. Docile, je fais comme lui.

— Gravos ! chantonné-je, gaffe à te manier la rondelle, biscotte c'est laguche que les Athéniens s'atteignirent !

La friponne comprend le français, mais pas l'arguche, ça m'étonnerait.

Bon, le feu passe au vert pour les présélectionnés que nous sommes et Johan oblique à gauche. Banco pour

Bibi. Dans le cinoche ricain, au moment de tourner, au lieu de crier « Partez ! » comme on le fait en France, le metteur en scène dit « Action ». Et là, je trouve que ça convient parfaitement à l'instant qui va suivre. La preuve ?

Je te décompose, en magicien du verbe que je suis, ce qui devrait me valoir une élection de maréchal des logis à l'une de nos académies. Qu'ensuite ils auront l'air fin, lorsque le Santantonio sera zingué, à pleurnicher de ce rendez-vous manqué avec l'Histoire. Comment veux-tu qu'ils soient vraiment écrivains : ils ont des couilles de serins ! Ils savent encore pas que la vraie littérature, de nos jours, c'est plus dans les salons, mais dans les pissotières en crue. Ils continuent dans la gaufrette et les loukoums, à faire des romans avec leur vie où il ne se passe rien d'autre que des manigances. Ils foutent une capote anglaise à leur stylo, pas risquer de choper la délirade écrivière qu'ils redoutent comme s'il s'agissait d'une sorte de Sida des lettres ! Ils admettront jamais qu'il y a davantage de poésie dans les graffiti de banlieue que dans leurs bouquinances trop léchées. Ils s'écoutent penser et se donnent à réfléchir aux autres. Lisez et faites-vous chier, car ceci est mon génie, tout dégoulinant d'encre et de fatuité profonde ! Ils mettent une alèse sur leurs feuilles d'écriture, des fois qu'il leur viendrait une hémorragie ! Misère !

Je te décompose mon « action », répété-je. J'amorce un virage à gauche pour filer la camionnette. Mais soudain, parvenu au centre du virage, j'enfonce le champignon plus loin que le plancher et vire sur ma droite toute. Cette secousse a un double effet. Elle fait basculer ma passagère et arrache sa putain de seringue de ma fesse. Moi, d'une formidable manchette pleine poire, j'assaisonne la Katarina. Quand je te parle d'une manchette, c'est presque un coup de machette ! Elle a morflé sur la glotte, Charlotte, et ça a craqué, je te dis pas à quel point !

Le Gravos, remis de sa déportance, s'est jeté à genoux contre la banquette (laquelle devient ainsi une banquette de dévôt) et noue ses battoirs musculeux sous le menton de la fille.

— Bien joué, l'artiss ! jubile-t-il.

Je pédale comme un fou, ayant brûlé le feu rouge destiné aux tomobilistes désireux de continuer en ligne droite. Quelque part, un poulardin siffle à s'en faire éclater les testicules, mais salut, Dubois, bons baisers de Paris !

Mon rétro extérieur m'indique que cette puissante feinte a également payé vis-à-vis des gonziers de la camionnette. Déjà engagés sur la voie de gauche et, bloqués par le flot se déversant dans cette même rue, il leur est impossible de revenir en arrière. Donc, je dispose d'un paquet de secondes pour m'arracher. Je fond-de-trainte jusqu'aux feux suivants, oblique dans une petite rue discrète sur ma droite. Je pense à plus rien. Je fuis ! Simplement : je fuis ! Quand tu fuis, t'es plus disponible pour autre chose. Tout ton individu se trouve mobilisé par ce souci d'ajouter de la distance, et encore de la distance. T'es pas rassasiable. Tu veux mettre de l'espace entre le danger et toi.

Eux, là-bas, ils doivent enquiller une voie de droite, et puis encore une autre pour atteindre l'avenue que je viens de quitter. Une fois là, ils essaieront de s'enquérir de la direction que nous avons prise. Ce sont des instants précieux pour nous.

Je vire à droite, puis à gauche, et encore à droite. Que cherches-tu, mon San-A. ? Ceci, là-bas, me rétroque mon subconscient en me désignant le Danube. Un *Brücke* l'enjambe, je fonce vers ce pont. Malédiction : il est à sens unique. Alors je prends le chemin qui mène à la rive.

Ils sont en train de le recharger ! Mais comme il est passé dix-huit plombes, les ouvriers des Ponts et Chaussées sont rentrés baiser Ninette. Sous le pont, un camion chargé de gravier est stationné. Ne pouvant aller plus loin, je me range derrière le lourd charroi. A quoi bon louvoyer davantage ? Nous risquerions de tombér sur nos poursuiteurs, tu connais la perfidie du hasard, Bernard?

Je coupe le moteur et croise mes bras sur le volant en plaçant mon front en sueur contre mes mains jointes. Sonné, le mec! La pompe en folie! J'en crèverai, un de ces sales morninges, de cette vie à la con!

— Dis donc, grand, murmure Béru.

J'attends la suite. Il murmure :

— La grande sauterelle, là, tu sais que tu l'as refroidie avec la chiquenaude que t'y as filée au gosier? Tu l'as broilié le sphinx, mec. V'là un moment que je me dis qu'elle est nazée, la gosse! Touche sa gargante : c'est mou comme la zézette à Bourguiba.

Egaré, je redresse la tête. Je ne touche pas, suivant l'invite de mon pote, mais je regarde. Evidemment, qu'elle est morte, Katarina Swoboda. Dis donc, je les cartonne vilain, ces dames!

La fille est d'un blanc farineux; sa tête de traviole ressemble à une branche d'iris brisée. Elle tient toujours sa seringue à la main, une goutte de mon sang perle au bout de l'aiguille. Rageur, je la lui arrache des doigts et l'écrase d'un coup de talon sur le plancher de la fourgonnette. Bibendum, quant à lui, s'octroie le feu de la dame.

— Maint'nant, faut qu'on va descendre de carrosse, Monseigneur! assure le Mastar. Et qu'on va faire disparaître la tire.

— La faire disparaître comment? En la flanquant dans le Danube? Ce serait le meilleur moyen d'alerter les badauds du pont.

— Laisse-moi usiner, grand. Sors seulement de l'auto!

J'obéis. Lui-même va ouvrir la lourde arrière à sa dernière conquête.

— *Kome, mein* trésor! lui fait-il.

Et la fille dégage à son tour.

— Ecartez-vous, toi z'et elle! recommande Superman.

Je le vois gagner le camion et prendre place dans la

cabine. Alors je pige son idée géniale. Sa Majesté met l'engin en route et actionne la benne basculante. Lentement, très lentement, l'arrière du camion se dresse et son contenu commence à glisser sur la voiture. Bientôt c'est l'énorme avalanche. Notre fourgonnette est ensevelie entièrement sous la masse de gravier ; avec le cadavre à l'intérieur.

— J'espère qu' t'as pas oublié ta boîte d'préservatifs dans la tire, ricane l'Enflure, que sinon ça m'paraît un peu tardif pour la récupérer !

DESSINE-MOI LA GUERRE

Je sais bien qu'avec une cervelle comme la tienne, personne n'aurait pu inventer la roue, le fromage de gruyère, le préservatif, voire le sablier électronique ; pourtant je suis certain que tu t'en sers tout de même pour formuler une importante question qui se sera imposée à toi au cours de ce palpitant récit lequel s'inscrit pile entre *Notre Drame de Pâris* et *Guerre et pets*. Moi, qui suis habitué aux phrases brèves, je manque d'air quand il m'arrive d'en licebroquer une comme ci-dessus. D'ailleurs Proust ne pouvait écrire qu'en mangeant des spaghetti !

La question qui te harcèle, Marcel, est la suivante : « Mais qu'est donc devenu M. Blanc ? » Voilà un Noir de bonne volupté que j'envoie m'acheter quelques menues nourritures. En son absence un rapide et sombre rodéo s'opère dans les rues de Vienne. Mais qu'a-t-il bricolé au sortir de la boulangerie, le brave Jérémie ? S'est-il aperçu du coup de main, depuis le magasin ? Probablement *niet* car sa nature véhémente et courageuse l'aurait induit à intervenir. Alors, donc, ce cher ami africain est ressorti, tenant dans du papier de soie le brouillon de repas que je souhaitais et auquel mon individu aspire de plus en plus. Et ensuite ? Qu'a-t-il pensé en ne nous voyant plus ? Et, l'ayant pensé, comment aura-t-il réagi ?

— V's'attendez quoi t'est-ce pour prend' place, méames z'et messieurs ? s'impatiente le gus.

— Prendre place dans quoi ? m'héberlué-je.

— Bédame ! Dans c'camion. Avec quelle voiture voudrais-tu-t-il qu'on s'déplaçasse ?

Dans le fond, il a raison. Je fais signe à la gonzesse de grimper. Lorsqu'elle a rejoint Béru, je monte à mon tour, car on peut parfaitement tenir à trois. Le Mastar décarre et c'est une lourde et cahotique balade le long du beau Danube marronnasse si trop joliment décrit par ce brave daltonien de Strauss.

On tangue sur la voie en réfection. A son extrémité, une barrière métallique s'interpose, flanquée d'un écriteau d'interdiction de circuler. Sa Majesté se fait un plaisir de la culbuter et après moult périphéries, comme dit l'Hénorme, nous revoilà en ville. Il fait presque nuit et les lumières brillent à Giono.

— Tu m'guides, mec ?

— Où comptes-tu te rendre ?

— Bé, là qu'on s'était promis d'aller, non ?

Cher brave homme ! Comme nous sommes admirablement à l'unisson, mes compères et moi ! J'interroge la pompiste pompeuse sur l'itinéraire à suivre et cette chérie nous guide avec beaucoup de parfaitement, en femme soumise à toutes les autorités et à tous les mâles capables de lui en assurer une vingtaine de centimètres. Chemin roulant, je lui fais décrire avec minutie les lieux. Elle ne s'y est rendue qu'une seule fois, mais en a gardé un souvenir précis.

— Le magasin de couture est-il encore ouvert ?

Elle retrousse ma manche pour étudier le cadran de ma montre, bien que ma Cartier dise l'heure en français, elle comprend néanmoins qu'on s'achemine sur 19 heures 40 et secoue la tête.

— Non, fermé.

— Si bien que les employées sont parties ?

— Oui.

— Ceux qui restent se tiennent dans le gymnase ?

— C'est probable...

Je me dis que le moment d'un coup de main est idéal car je suppose que les acolytes de la défunte Katarina Swoboda doivent effervescer à notre recherche, ce qui diminue les effectifs de Fort Alamo.

Nous atteignons Kärntnerstrasse et la grognasse du garagiste nous désigne le magasin de modes. La vitrine en est largement illuminée, mais l'intérieur est obscur, ce qui confirme les prévisions de la môme.

— Fais le tour du pâté de maisons, gros, on va aller regarder derrière comment l'enfant se présente ! enjoins-je au Dodu.

Docile, il enquille la première rue à droite, et puis encore la première à droite, ce qui te montre qu'on a du bol car les sens uniques auraient pu nous être défavorables.

Le gymnase en question est un bâtiment de briques grises dans une rue sans grande importance collective. Elle est peu éclairée, mais comme il semble ne rien s'y passer, c'est bien suffisant commak.

— Bon, on stoppe, Gros.

— Je va barrer toute la *strasse !* objecte l'Emérite (agricole pusqu'il est de la parpagne).

— Grimpe sur le trottoir d'en face, autant que tu le peux.

— Et n'ensute ?

Au lieu de répondre, je mate le mélancolique paysage. Ces murs gris... Une verrière en vitres dépolies coupe le mur sur quatre ou cinq mètres, à environ trois mètres du trottoir. Elle court le long du toit plat. Seule ouverture réelle donnant sur la rue : une double porte de fer sur laquelle est peinte une interdiction de stationner. Une faible lumière filtre par la verrière. J'en conclus qu'une très maigre zone de la salle de gymnastique se trouve éclairée. Mon cigogneur pilonne dur quand je pense que mon petit Toinet se trouve peut-être dans ce local.

— Alors, révérend Père Plexe, ricane l'Enflure, qu'est-ce on décide-t-il ?

— La gonzesse va nous gêner dans nos manœuvres, soupiré-je.

— Tu veux que j'va la ligoter et la foute dans la benne ?

— Pour que les gens des immeubles puissent l'admirer à leur aise s'ils se mettent à la fenêtre ?

— Ou alors, j'y mets un taquet à la mangeoire ? Ça peut lui organiser un beau dodo, tu sais !

— Je préfère, mais je trouve que quand nous vadrouillons au pays du romantisme on se conduit un peu durement avec les dames.

Il s'insurge :

— Si j'pourrais pas m'permett' d'la chahuter un brin après la belle biroute nickelée qu'elle s'est dégusté t't'à l'heure !

— Alors soit !

— Tout d'sute ?

— Remets ta formule en marche, Sandre. L'intervention que je te propose va nécessiter efficacité, rapidité et précision.

— C'est dans mes cordes, comme disait un boxeur qui jouait du violon.

— Tu vas refaire le tour du pâté de maisons. Quand tu déboucheras dans la rue, vire le plus large possible de façon à emplâtrer la porte de fer que voilà. Ça m'étonnerait qu'elle résiste au coup de boutoir de ton quinze tonnes.

— M'surprendrerait aussi. Ce mur de briques, av'c sa mine de papier mâché, j'te l'foutrais par terre à coups de pied !

— Je vais descendre pour être à disposition près de la brèche que tu vas pratiquer ; excuse-moi de ne pas rester avec toi dans le bahut, mais je ne peux pas risquer de me laisser estourbir par le choc.

— J't'en prille, grand. D'alieurs, t'as toujours aimé tes aises !

— Comprends qu'il va falloir agir à toute vibure car le voisinage donnera aussitôt l'alerte et nous n'aurons plus de véhicule à disposition pour nous carapater.

Surtout, cramponne-toi ferme à ton volant au moment du carambolage.

— Dis, l'artiss, tu connais Bérurier? J'sus bâti à chaude-pisse et aux Sables-d'Olonne, moi!

— O.K. Endors ta Mme Bouffe-Bite, ici présente et agis! Je vais prier en t'attendant.

— Tu t'es toujours réservé l'plus délicat du boulot! répond le recordman du kilomètre-paf arrêté.

Il me regarde descendre. Le camion au point mort vibre comme un vieux frigo sur le point de rendre l'âme. Béru tapote la joue de sa compagne. Puis lui désigne un point du ciel à travers son pare-brise.

— Hé, *Frau* Darlinge, t'as vu la lune, c'soir? On dirait une photo couleur de Maho Sait Tout!

La dame lève son visage, proposant ainsi un ravissant menton au soporifique béruréen. Il laisse partir son gauche, l'Homme-au-Gros-Moignon. Sec et précis! La pompiste se disperse sur le plancher du camion.

— Prépare des frites, j'r'viens! s'écrie Béru dans le ronflement de sa Ferrari.

Il disparaît, happé par la rue suivante. « Et s'il ne revenait pas? » me dis-je. Suppose que, dans sa précipitation, il embugne une tire dans la Kärntnerstrasse, ou renverse un passant? Suppose que cette grosse vacherie de camion tombe en rideau? Suppose qu'il ait mal assaisonné la garagiste et qu'elle se mette à hurler au secours? Suppose... Suppose... Et merde! Dis, je vais pas tourner à la petite rosière effarouchable!

Mentalement, je suis l'itinéraire... Il a déjà rejoint Kärntnerstrasse. Il longe cette voie importante pour rallier la rue suivante, il...

Mais, dis! Je rêve! Le voilà déjà de retour! Je fonce en deça de la double porte de fer pour assister au numéro. Tu le verrais, Grosbide, ce sang-froid! Cette espèce de majesté dans l'action! Ennobli par sa concentration. Les lèvres verrouillées sur son dentier. Le regard profond comme celui d'un chimpanzé. Il a rabattu son bitos au ras de ses sourcils pour se protéger des éclats. Il n'a même pas un coup de frein, messire Béru. A croire que c'est Julienne qui l'a formé, cézigo ! Il braque tout, après avoir tenu sa gauche. Dans un phénoménal ralenti, je vois s'accomplir l'impact. Le capot cogne la porte qui se courbe et cède. Les briques s'écroulent autour du cadre de la lourde. La cabine du monstre s'engage par la brèche. Il chie des éclats de toutes natures : vitre, brique, plâtre, bois.

Alors je fonce.

Malheur ! Ah ! funeste sort. Tu sais quoi ? Le camion, en s'engageant dans la trouée, *l'a obstruée entièrement.* Il m'est impossible d'entrer dans le gymnase. J'attrape le rebord du plateau, m'y hisse. La paroi de la cabine est un obstacle tout aussi infranchissable. Par la lucarne dont le verre s'est brisé, je distingue un nuage de vapeur, à cause du radiateur éclaté. Béru n'a pas de mal. Il s'évertue comme un régiment de Cosaques dans l'antichambre d'un bordel pour tenter d'ouvrir sa portière, mais elle est bloquée par le mur. Il est là, l'Enfoiré, fiché dans le gymnase comme un robinet dans la bonde d'un tonneau.

— Recule ! hurlé-je. Mais recule donc, Sac à Merde !

— Et mon cul ! glapit l'Auroch, à demi asphyxié par la vapeur et la poussière. Tu croives qu'y marche encore, c' moulin, après une pétée pareille !

Soudain, le calme me revient !

— Calmos, Gros ! Derrière les sièges, j'aperçois des outils ! Essaie de me filer une pioche par la lucarne.

— Et comment veux-tu qu'é passe, fleur de mes couilles !

Mais mon renseignement n'est pas tombé dans l'oreille de Beethoven ! Il empare l'outil désigné pour, tant mal que bien, démanteler le cadre du pare-brise. Moi, toujours, guette-au-trou, j'essaie de mater l'intérieur du gymnase. Qu'apercois-je ? Une vaste pièce comportant des portiques, des chevaux d'arçon, des barres parallèles, des anneaux, des trapèzes et autres instruments propres à la musculation d'un individu décidé à se constituer un capital biceps. Dans le fond du gymnase se trouvent deux portes. L'endroit n'est éclairé que par la clarté tombant de la verrière et qui provient du maigre éclairage de la rue. L'une des portes du fond vient de s'ouvrir et deux personnages accourent vers le lieu de « l'accident » : un homme blond et grand, vêtu d'un *training* rouge et une fille superbe, dans les roux vénitiens, portant un jean noir et un sweater vert.

— Démerde-toi pour sortir du camion, Gros ! lancé-je rapidement. Dès que tu seras dans le local, neutralise ce couple et va voir dans les pièces adjacentes.

Quant à moi, je dois affronter la badauderie accourue aux renseignements. Comme je suis juché sur le plateau, ces bonnes gens m'interrogent.

— Aucun accident corporel ! les déçois-je. Inutile de prévenir la police, les gens de l'intérieur sont en train de s'en occuper.

Ayant calmé le danger, de ce côté-ci, j'observe les agissements du Gravos. Il est en train de se scalper en franchissant le cadre du pare-brise, biscotte les tessons de verre. Le grand mec blond l'agonise comme un perdu. Il les a à la caille de voir débouler un camion dans leur antre. C'était pas prévu sur son cahier des charges, l'artiste !

Comme Béru ne comprend pas l'allemand, il se contente de clopiner bas en direction du gazier en se massant les hanches. Il geint à fendre du bois et à perdre haleine, mon Gros. Tout juste s'il ne chiale pas.

Le gars continue de vociférer. Alors Big Apple y va de son mémorable coup de boule. C'est chaque fois une sorte de chef-d'œuvre. Un mouvement animal : mi-bouc, mi-taureau (Béru, quoi !). Une amorce de charge avec, le ponctuant, un formide mouvement de tronche. Quand t'as dégusté ce boutoir dans le portrait, plus la peine d'aller te faire photomatonner : les clichés qui en résulteraient ne seraient pas utilisables pour un document officiel. Fectivement, le grand blond cesse immédiatement de se ressembler. Il a la bouche en forme de steack tartare au centre duquel on ménage un trou pour le jaune d'œuf; et puis son nez naguère rectiligne ressemble maintenant au pouce d'un gant de boxe. Il titube, cherche, tel Atlas, un point d'appui pour soulever le monde et, n'en trouvant pas, s'écroule.

Mon Gros, ça ne lui a pris que deux secondes un tel exploit. Déjà il « s'occupe » de la gonzesse. Pour elle, c'est le coup du timbalier qu'il lui a réservé. Une double claque simultanée, avec les deux mains à la fois. En serre-livres ! Ça doit lui rétrécir la frimousse de cinq centimètres ! Elle aussi va à dame. Pépère se retourne vers moi et, le pouce brandi, me confirme son triomphe.

— Contrôle-les avant de sortir ! lui crié-je.

Vu que t'as des natures retorses qui récupèrent en un clin d'œil. Mais il sait la vie aussi bien que moi, mon berger fidèle. Alors : un shoot délicat à la nuque du type : un second plus nuancé, à celle de la fille. Content de soi, il redresse son chapeau cabossé par l'impact, le recoiffe et se dirige vers la porte restée ouverte.

Mais avant qu'il ne l'ait atteinte, deux événements surviennent. L'un positif, l'autre négatif. Le positif c'est l'apparition de Toinet. Le môme paraît un peu chiffonné.

— Tonton Béru ! s'écrie-t-il.

Et il se précipite dans les bras du Gravos, très ému. Ce faisant, il bloque les mouvements de notre illustrissime compagnon à un moment où celui-ci en aurait grand besoin ! Car l'événement négatif se produit : à savoir le retour des deux « infirmiers » et du garagiste qui nous coursaient. Bredouilles, ils viennent de rallier leur base et, crois-moi, ce retour est extrêmement inopportun. Une brève période d'indécision suit leur entrée.

Ahuris, ils contemplent cet avant de camion dans le gymnase, puis ce gros mec avec l'enfant dans les bras. Cette dernière image leur révèle illico que « l'accident » est, en réalité, un coup de main. Alors le plus gros des infirmiers dégaine son pistolet-mitrailleur, celui qui, naguère, m'a regardé au fond des yeux. Il hurle au Mastar de lever les mains. Béru qui n'a pas eu l'opportunité d'apprendre le boche depuis son entrée fracassante en ces lieux, met du temps à réaliser. Seulement, quand un vilain t'aboie après en brandissant un calibre pour travailleur de force, une certaine interprétation s'opère, fût-ce dans des cerveaux réalisés par M. Bouygues. Voilà pépère qui repose le lardon sur le tapis-brosse et qui cherche à saisir les nuages.

Et moi, dans tout ça ?

Moi ? Viens, tu vas voir !

Tu sais, dans les dessins animés, la scène clé ? Le chat qui poursuit la souris, ou le chien qui course le rat ?

A une allure supersonique, je saute du camion. Le temps de crier aux badauds :

— Dispersez-vous, je crois que le réservoir d'essence va exploser, afin de les dissuader de prendre ma place.

Je vais à l'angle de la rue. Vire une première fois à gauche ! Puis une seconde. Et une troisième en fin de compte de manière à parvenir dans la cour précédant le gymnase. La camionnette de mes ex-poursuivants s'y trouve. Je fonce à la lourde. Elle est fermée, mais je ne me sépare jamais de mon sésame. Cric ! crac ! Merci, Jehanne d'Arc !

Un palier avec des portes à *bloundt* donnant sur le local. Elles sont munies de deux hublots, comme celles qui permettent l'accès à une salle de cinoche. Je regarde et m'aperçois que mister Dodu trempe dans un bain de gadoue assez pas mal ! L'un des infirmiers l'a ceinturé et lui maintient les bras dans le dos, tandis que les deux autres l'estourbissent avec leurs crosses ! Courageux comme un lion, le Toinet flanque des coups de pied dans les jambes des deux tagonistes, qu'à la fin il a droit à une beigne qui l'étend, mon loupiot !

Il est temps d'interviendre, Sana ! Sinon, ce qu'il subsistera de ton brave Béru pourra être rapatrié en

France dans une cantine militaire ! En loucedé j'écarte les portes. Flingue en pogne, je vise le jarret du plus méchant. *La vacca !* Ça lui fait exploser la rotule ! La douleur est si violente qu'il s'évanouit, le pleutre !

— Lâchez vos armes, vous êtes cernés ! gueulé-je d'une voix de stentor vénitien.

L'Antonio, toujours émérite, a pris soin de se coucher derrière les deux portes. Et bien lui en biche car le deuxième « infirmier » a volté pour un arrosage express. Y a plein de petits trous dans les panneaux de bois.

— Et après ? lancé-je d'un ton si glacé qu'il me flanque la chair de poule !

Courageux, le gonzier s'avance. Prêts à se faire buter à l'œil, ces mecs enchapitrés ! Il a ramassé le feu de son pote. Un dans chaque pogne, il a des espérances de vie ! Faut que je me le plombe. Seulement, avec ces foutues portes à va-et-vient, c'est pas du gâteau aux amandes ! Si je pousse un vantail pour pouvoir défourailler, il balancera le potage en grand !

Le salut, tu sais de qui il m'arrive ?

De la pompiste, mon vieux ! Textuel ! Figure-toi qu'elle a récupéré, la garde, et la voilà qui bieurle : « Johan » en apercevant son vieux.

De saisissement, l'homme aux sulfateuses se retourne. Et c'est sa perte !

Moi :

Poum ! Poum !

Une bastos dans chaque épaule. Que tu dirais un épouvantail dont le manche à balai transversal serait tombé !

Béru profite de la conjoncture pour faire une clé au garageo avec son coude et lui beurrer le pif et les mirettes de gnons percutants. La femme vole au secours de son julot en brandissant la pioche.

— Gaffe-toi, Gros ! hurlé-je.

Il fait un saut de baleine, arrache l'outil des mains de la Marie-Thérèse et le lui plante carrément dans les pensées ! N'a jamais eu la reconnaissance du bas-ventre, Béru ! Elle s'écroule morte, avec cette barrette de dix kilos dans les cheveux ! Toinet m'accourt contre.

— Tonio ! fait mon loustic en m'arrivant dessus.

— Salut, petit mec ; où sont les deux ancêtres ?

— La vieille est morte : ils l'ont découpée en rondelles pour essayer de faire parler Félix !

— Et Félix ?

Il me désigne la seconde porte.

— Il était là, ce matin encore, mais on l'a emmené.

Je me précipite vers la pièce qu'il m'indique. J'y découvre un lit de fer flanqué d'une table d'émail, comme celle qu'on utilise dans les hôpitaux pour y déposer des fioles et du matériel chirurgical. Les draps du lit sont souillés de sang, mais, effectivement le père Félix ne s'y trouve plus.

Des sirènes de police retentissent dans la rue de derrière.

— Acré ! me lance le Gros, v'là les pandores ! Cassons-nous, sinon on va chier des oursins !

Le conseil est excellent. Je chope Dudule par la main et on se taille côté cour. Mon intention est d'utiliser la fourgonnette des lascars qui s'y trouve stationnée, hélas, les gars ont prélevé la clé de contact et il n'est plus temps d'aller leur faire les vagues.

La scoum, bordel ! Elle nous lâche pas, décidément. Je me sens comme un oiseau micropodiforme, genre albatros ou engoulevent : mes pattes trop courtes et mes ailes trop longues m'empêchent de prendre mon envol depuis le sol !

— Filons à pinces ! dis-je.

On marche posément jusqu'à Kärntnerstrasse et je choisis de nous développer en sens unique manière de ne pas être rejoints tout de suite.

A cet instant net et précis, un coup de sifflet de trident, comme dit Béru, part de la circulation. Caractéristique. C'est aigu comme un accent du même nom et ça continue par une trille rouleuse. Je reconnais le cri du cormoran qu'imite si parfaitement Jérémie Blanc. En matant bien, j'aperçois mon Noirpiot dans une calèche attelée d'un bourrin blanc et pilotée par un vieux calécheur coiffé d'un chapeau melon. L'est tout engoncé dans une houppelande, le cocher. Il a l'air d'un gros oiseau malade dont les paupières sont lourdes. Jérémie est en train de parlementer avec le dabe écroulé sur sa banquette pour le prier de stopper. Mais pépère répond qu'il ne peut pas paralyser le flot de la circulance. Alors, bon, on crapahute comme des sauvages pour le prendre en marche. Quand c'est au tour de Bérurier de hisser sa viande, le bourrin qui porte un bonnet rouge, pour avoir l'air plus con que son maître, tourne la tête dans notre direction et lance un barrissement désespéré. Quel est le con d'entre vous qui vient de ricaner qu'un cheval ne barrit pas ! Pauvre cloche, va ! A Vienne, les canassons barrissent, j'aimerais que tu le susses ! Et celui-ci d'autant mieux qu'il ressemble à Raymond Barre, alors tu vois !

Naturlich, le cocher rouscaille qu'il va falloir douiller une sérieuse rallonge ! Sa rossinante est vannée ; elle roule sur la jante en fin de journée. Nous lui promettons la lune. Juste des perdreaux déboulent coudes au corps de l'angle de la rue pour se précipiter dans la cour. Moins une !

— Je n'ai pas pu venir plus vite, nous dit M. Blanc, impossible de trouver un taxi à cette heure ! Alors j'ai affrété cette calèche qui regagnait ses écuries.

— Dans un sens, c'est mieux fais-je, qui donc penserait que nous sommes en train de fuir avec cette archaïque carriole ? Tu es vraiment tombé à pique, fils.

Mon soulagement d'avoir récupéré Toinet commence à se corrompre à l'idée que Félix, lui, a disparu.

On est là comme quatre connards dans cette calèche branlante, à regarder la ville sans la voir, au pas faussement trottineur de l'haridelle (qui fait notre printemps !). On a tellement de choses à se raconter. De questions à se poser. Mais on ne parle pas. D'un commun accord, on fait trempette dans un bain de mutisme, parce qu'on a besoin de se bricoler un moral, une santé.

Tu comprends ?

DESSINE-MOI BUFFALO BILL

Comme toujours, c'est Bérurier qui renoue avec les dures réalités de l'instant :

— On va où est-ce ? il demande sans entrouvrir ses grosses lèvres répugnantes.

M. Blanc répond :

— J'avais donné la Kärntnerstrasse comme adresse, me doutant bien que c'est ici que je risquais de vous retrouver, libres ou prisonniers. Puis, il y a un instant, avant que vous ne montiez, j'ai demandé au cocher de nous conduire à la gare.

— Donc, on va à la gare ! fait Béru qui aime s'appuyer sur des résumés tangibles. Et afteur ?

La calèche va, dans un ruissellement de lumières. Le bourrin qui s'est accoutumé aux engins motorisés n'a pas peur des voitures qui le frôlent sans cesse. Sous son bonnet… d'âne, il va. Le cocher s'est remis à somnoler. Moi, je tiens fort la menotte du gamin dans la mienne. Je l'ai récupéré, c'est l'essentiel. Après tout, tant pis pour le vieux cul fripé de Félix. Il aura « fait son temps », comme disait ma grand-mère. Mille questions me viennent, que je voudrais poser au lardon, mais je préfère attendre que nous soyons dans un coinceteau peinard.

— Après tous ces avatars, fait Béru, ça doit s'énerver dur chez les archers du patelin. On risque d'être alpagués en moins de jouge ; toi surtout, Antoine.

— Je sais.

— Les hôtels ne sont plus fiables, déclare M. Blanc. Sale impression d'être traqué dans une ville, sans gîte.

Et soudain, il me point une idée. Elle m'est inspirée par le quartier que nous traversons. Un quartier où je suis venu la veille. J'interpelle le pilote d'essai, affalé sur son siège.

— Arrêtez-nous ici, je vous prie.

— Nous nous trouvons encore loin de la gare ! objecte-t-il.

— Comme nous sommes pressés, nous irons à pied ! réponds-je.

Je lui virgule de la fraîche et nous descendons de la charrette fantôme.

— Qu'est-ce y t' prend, l'grand ? questionne Béru.

— Suivez-moi !

C'est Conrad en personne (et en bras de chemise) qui vient délourder. Il a la bouche pleine, ce qui indiquerait que l'aimable couple faisait la dînette lorsque j'ai sonné. En me reconnaissant, il cesse net de mastiquer. Un gros chicot de bouffe lui gonfle la joue droite, ce qui le fait ressembler à un hamster sur le qui-vive.

— Salut ! lui fais-je en souriant large comme la lune à son dernier quartier.

Et, sans lui laisser le temps de réagir, je lui balance un coup de saton dans les roubignolles. C'était du hareng de la Baltique à la crème qu'il bectait. Comme il vient de le restituer sur la moquette, on ne peut pas se tromper.

— Occupez-vous de lui, les enfants, fais-je à mes peones. Je le veux complètement neutralisé, vu ?

Et là-dessus, je gagne le coin kitchenette où la ravissante Heidi, nue sous un peignoir rose, surveille le réchauffement d'un restant de ragoût. D'un geste délibéré j'éteins la plaque de la cuisinière. Ce ragoût sent bon et me fait chialer l'estomac, tellement il crie famine, le pauvret ! Je chope la casserole par la queue et, me servant de la cuiller en bois, me mets à briffer sans cesser de fixer Heidi. Là, faudrait qu'elle s'adresse d'urgence au G.A.N. car son assurance vient de la quitter. La peur lui cerne les yeux et écarquille son iris comme le ferait une ligne de came.

— Ma mère me répète toujours que la faim est le meilleur cuisinier, dis-je, la bouche pleine. Vingt-quatre heures sans claper, tu te rends compte ?

Toinet m'a rejoint. Sa petite frime de gavroche est un peu pâlie et ses taches de son criblent fortement sa peau. Il est très intéressé par l'ouverture du peignoir rose qui découvre un nichon de la môme et laisse l'espoir d'apercevoir son frifri au prochain mouvement qu'elle fera.

Et moi, je bouffe comme un régiment d'ogres. C'est bon, la voracité quand elle est réellement motivée. J'ai d'excellents souvenirs des instants de ma vie où je me suis montré bestial.

Animaux, nous sommes. L'homme affamé est l'égal du rat ou du chien.

J'ai l'impression qu'il n'y aura jamais suffisamment de ragoût dans cette casserole pour me rassasier.

— Après vous, s'il en reste, baron ! grogne Sa Majesté survenante.

— Il n'en restera pas, le préviens-je.

Bidendum soupire et s'asseoit à table pour terminer les harengs.

La gonzesse n'a toujours pas mouftě. Jérémie s'encadre dans l'ouverture de la porte à glissière. L'arrivée de ce grand balèze de négro sidère la fille d'un degré supplémentaire.

Béru se verse un verre de vin blanc allemand. Il clape de la menteuse et fait la grimace.

— C'est pas c'te bibine qui m'fera oublier un bon p'tit Mâconnais ou un Hermitage de chez Chapoutier, assure l'Immense. (Regard à Heidi.)

« Joli lot, mec. J'ferais bien rebelote av'c elle ! »

Il avance le bras pour tirer sur le pan du peignoir, ce qui fait le bonheur (relatif) de Toinet.

— T'as visionné ce joufflu, Blanche-Neige ? fait-il à Jérémie. C't'aut'chose qu'l'baigneur d'vos négresses, merde ! Elles ont toutes le prose à impérialiste, comme des autobus anglais, qu'on croirait qu'elles portent un coussin par-dessus leurs meules !

« Tandis qu'là, pardon : c'est d'l'estatue grecque ! La Vénus de Milou ! Quand tu crougnougnoutes une paire de miches pareilles, t'as l'impression d'mord' dans un melon d'Cavaillon. »

— Tu parles devant un enfant ! réprimande Jérémie.

— Un enfant, Toinet ? A onze ans ! Non, mais t'as remarqué la manière qu'y s'allume, le môme, en regardant la carrosserie d'madame ? Moi, à son âge, je sautais déjà la fille Marchandise et aussi la grande Marie, not' servante. Que chaque fois qu'é l'était enceinte, on n'savait jamais si c'était de pépé, d'mon dabe ou d'moi-même. Même elle n'pouvait pas préciser !

Heidi paraît sortir progressivement de sa léthargie, comme une viande mise à décongeler dans un four à micro-ondes sort de sa raideur.

Elle tend la main vers une étagère et saisit une boîte de fer sur laquelle y a écrit « Farine » en lettres gothiques. Elle l'ouvre et la renverse sur la paillasse de l'évier. Du monticule blanc, elle dégage deux demi-liasses de banknotes. Je reconnais les dollars du père Félix. La môme les défarine en les agitant au-dessus de l'évier, puis me les tend, sans un mot... Au lieu de les prendre, je lui allonge une beigne qui la fait tituber. Après quoi, j'achève le ragoût ragoûtant. Heidi dépose les talbins déchirés sur la table. Intéressé, Toinet les griffe. Il me demande :

— Je peux ?

— C'est ça : fais le trésorier.

— Si cette gonzesse aurait du scotch, je pourrais les recoller.

— Non, laisse : trop délicat ! Faut pas se gourer, les numéros doivent correspondre.

— Tu me prends pour un branque, grand ?

Voilà, c'est renoué, la jactance. Je retrouve mon envie de parler. Ici, nous sommes peinards. J'ai eu l'idée du siècle en venant y chercher refuge. Si je conserve la situation bien en pognes, ces deux aigrefins nous sauveront peut-être la mise.

— Ligotez cette pétasse ! enjoins-je à mes sbires. Vous êtes certains que son mec est vraiment inoffensif ?

Jérémie hoche la tête.

— Nous l'avons saucissonné serré et avec le coup de talon que ce gros sac lui a filé ensuite dans les gencives, ça m'étonnerait qu'il reprenne ses esprits avant une heure ou deux.

M. Blanc farfouille dans les tiroirs de la kitchenette et découvre une paire de pinces coupantes. Il les emploie pour sectionner les fils du cadre d'étendage.

— Vos poignets ! enjoint-il à la mousmé.

Elle les tend passivement. Mon ami se met alors à la lier fortement.

— Avant qu't'y attaches les compas, j'm' la payerais estrêment volontiers, informe le Mastar.

Mais Jérémie ne l'écoute pas. Il fait asseoir notre hôtesse et lui ligote les chevilles.

— Maintenant, raconte, dis-je à Toinet. Tu te trouvais aux manèges avec mémère lorsque des jeunes femmes vous ont abordés. Que vous ont-elles raconté ?

— Elles ont commencé par chambrer la vieille pendant que j'me payais la Grande Roue. Lorsque j'ai descendu, elles avaient l'air potesses. Elles m'ont payé des pâtisseries, et puis elles nous ont proposé de nous ramener à la maison, vu qu'y s'faisait tard et qu'la vioque voulait rentrer à la taule. En cours de route, la mère Muelner s'est endormie d'un seul coup. Je me demande si l'une des gonzesses n'y aurait pas fait une piquouze ?

— Et alors ?

— Elles nous ont conduits là que t'es venu me

chercher. Elles ont foutu la mère Carabosse sur un lit pour qu'elle continue de pioncer, moi, elles m'ont interrogé.

— A quel propos ?

— A propos de qui j'étais et de ce qu'on venait foutre à Vienne. Elles voulaient des renseignements sur M'sieur Félisque et sur toi.

— Comment réagissais-tu ?

— Je leur disais qu'elles avaient tort de s'y prendre commak avec nous, à cause que t'es le plus grand flic d'Europe, et peut-être même du monde, et que tu tolérerais pas qu'on me kidnappe, et que ç'a allait être leur fête, ces connasses, un type comme toi sur le cul !

Je ne peux m'empêcher de déposer un baiser dans sa chevelure qui sent le petit garçon, la paille fraîchement engrangée et le cahier d'écolier. Gentil Toinet, si sûr de « son grand frère-père ». L'ambiguïté de nos liens freine mes élans de tendresse la plupart du temps et son côté garnement ne facilite pas les effusions ; mais c'est un chic môme, plein de cran, déluré et tendre.

— Tu sais que je t'aime, l'arsouille ? murmuré-je en essayant d'affermir ma voix un chouïa défaillante.

— Cette connerie ! Evidemment qu'on s'aime, Tonio ! A quoi ça rimerait qu'on se soit adoptés ?

— Allez, petit monstre, continue !

Il traîne un peu en se rendant compte que le peignoir a glissé de l'épaule gauche d'Heidi et que son sein se propose, dans toute sa gloire. Un beau sein rose, à crête ocrée qui reste ferme sur ses positions.

— Elles ont continué de me faire jacter. Elles s'y prenaient en douceur. Y en a même une qui me caressait la zézette en m'appelant « petit homme ». Ce qui les intéressait surtout c'était ton ami Félisque. Elles m'ont fait boire du vin sucré, un plein bol. J'avais la tronche comme une toupie. Elles me demandaient ce que ton vieux pote t'avait dit. Et moi qu'en savais rien, je pouvais pas répondre, alors j'ai inventé.

Là, ma moelle se met à dégouliner à l'intérieur de mes os et mon palpitant affiche le rouge.

— Et tu leur as inventé quoi, cavillon ?
— N'importe...
— Mais encore ?
— Des vannes, comme quoi Félisque est un grand savant et qu'on venait d'y secouer sa dernière inventerie ; alors c'est pourquoi il « nous » a demandé de radiner ici dare-dare.

Putain, ce gâchis ! Il y va mal, Toinet, quand il se met à faire de la broderie pour dames ! Mais je ne songe pas à le lui reprocher. Quand un chiare est confronté à ce genre d'équipée, il l'assume comme il le peut !

— Et pourquoi as-tu inventé cela, loupiot ?
— Pour tout te dire, je croyais qu'il s'agissait plus ou moins d'une affaire de ce genre. Ton Prof, il fait vachetement inventeur qui vit à côté de ses pompes et même de son slip ! T'as pas l'air joyce, grand, j'ai eu tort ?
— Mais non, poursuis...
— Peu de temps après, une gerce toute loquée de cuir s'est rabattue avec Félisque ! Le vieux crabe, figure-toi, était déguisé en femme. On l'a bouclarès dans une pièce voisine et ces dames s'sont mises à l'entreprendre sérieusement. J'sais pas ce qu'é z'y ont fait, mais il gueulait aux petits pois, pépère ! Ça a duré des heures. Tard dans la nuit, on m'a apporté du pain, du chocolat et un Coca. Et puis je m'ai endormi.

« C'est des cris encore qui m'ont réveillé, beaucoup plus tard. La vieille ne se trouvait plus dans la même pièce que moi et je suis persuadé que c'était elle qui hurlait comme une putoise. J'ai su ensuite qu'ils l'avaient pratiquement dépecée devant Félisque pour le contraindre à causer. »

— Qui t'a dit cela ?
— L'une des gonzesses. Elle m'a expliqué comme quoi la vieille était cannée sans qu'il parle et que ça serait mon tour, ensuite pour s'il serait plus sensible à un enfant ! Et puis il a dû se produire du nouveau car elles se sont séparées et tout le monde est parti, sauf la fille et le type que tu as vus dans la salle de gym. Toute

la journée, y a eu des coups de fil, des allées et venues. Dans l'après-midi des hommes ont rappliqué pour chercher Félisque. Au début, il était question qu'on m'emmène avec lui. C't'à ce moment-là que je l'ai vu, ce pauvre vieux. Pas joli, tu sais, Antoine ! La tronche en compote, les yeux comme dans un film d'épouvante ! Les fringues pleines de sang. Tout juste s'il m'a reconnu. J'ai voulu lui parler, mais il n'a rien répondu. Les gens rassemblés s'engueulaient, je croive pouvoir dire que c'était à mon sujet ; ils répétaient « *Kind, Kind* » en me dévisageant. Au bout de leur empoignade, y a un mec qui a donné un coup de téléphone. Il devait demander à un chef quéconque s'il fallait m'apporter en même temps que ton pote. Ça dû être non parce qu'ils ont emballé Félisque seul et m'ont renfermé dans ma piaule.

« Cette fois, je me suis mis à bricoler la serrure. J'ai passé un temps immémoriaux dessus. Avec une épingle à cheveux de la pauvre Mme Muelner que j'avais trouvée sur le lit. Eh ben ! mon vieux, j'sus arrivé à mes fins, la preuve : j'ai pu sortir pile quand vous vous êtes pointés ! »

Il rayonne de fierté. Je presse sa bouille de Poulbot contre moi.

— Bravo, brin d'homme, tu es plus fortiche que Buffalo Bill ! le félicité-je. Cela dit, tu n'as pas la moindre idée sur l'endroit où ils emmenaient Félix ?

— Comment veux-tu : ils causaient qu'allemand. Et l'allemand, tu m'escuses, mais c'est déjà beau qu'ils peuvent se comprendre entre eux, un baragouin pareil !

DESSINE-MOI UNE PROUESSE

J'ai mis Toinet au dodo dans le grand plumard de la mère Heidi. Il était k.-o. debout, le chiare. Tellement d'émotions ! Vivre cette épopée à onze ans, faut du nerf ! Il en a ! Gavroche, te dis-je ! sur les barricades ! De la faute à Voltaire ! ou à San-Antonio !

Je souffle la calebombe et, dans le clair-obscur, regarde s'endormir ce gentil garnement qui en sait déjà trop sur la vie. Par nos temps atroces, y a plus de jeunes parce qu'ils n'ont plus le temps de se payer une jeunesse ! A peine au monde, ils découvrent les hideurs, toutes les furonculoses dans lesquelles on fait la brasse coulée pour tenter de s'en sortir !

De nos jours, on baise avant de marcher, on se came avant d'être sevré, on regarde mourir avant de savoir qu'on est mortel ! Illico, tu sais que t'es niqué d'office, d'avance. Je regrette l'époque où les adolescents avaient des boutons sur la gueule ! L'acné juvénile a disparu avec l'enfilage en youp lala ! C'est la mort des dépuratifs ! Les pharmagos se reconvertissent dans la capote ! De mon temps, on « commençait » son sensoriel avec une amie de sa maman qui vous branlait délicatement, par les beaux jeudis d'automne. Un peu plus tard, elle vous pompait la membrane des heures durant, vous retenant au bord du lâcher de ballons à l'extrême instant, pour vous réentreprendre de nouveau. Quand on se mettait à emplâtrer ses petites condisciples, on savait par quel bout s'enflamment les allumettes.

On leur a tout foutu par terre, ces pauvrets ! On les a spoliés de leur enfance. On a foutu le feu aux idéals (ou idéaux, comme tu veux) possibles ! Alors ils s'assoient sur le trottoir avec un joint au bec. Tu voudrais qu'ils fassent quoi d'autre ? Ils n'ont même plus envie qu'on crève pour leur laisser notre place. Elle les tente pas. Ils préfèrent le trottoir. Nous tuer ne les amuse plus. La mort des petits phoques, ils s'en tartinent ! L'abbé Pierre ou Pinochet, pour eux, c'est du pareil au même. Le gibbon du zoo dans sa cage a une vie mieux organisée que la leur. Le gibbon, lui, au moins, il cherche des poux sur la tête de sa femelle, ou bien se gratte le cul ou se taille une plume devant les vieilles filles en fleurs. Mais le faux jeune d'aujourdhui, l'ami ? Néantissimo ! Rien ! Immobile, muet, aveugle. Son joint ! Une crampe expresse ! L'immobilité du temps quand il ne t'intéresse plus !

Moi, je voudrais bien bricoler un bout de jeunesse à Toinet. Ça va être duraille car il est précoce. N'importe, il faut lui éviter les blasures ! Je veux qu'il ait envie d'un couteau suisse, ou de regarder la chatte de Maria. Pour le moment il tricote des rêves. Je quitte la pièce. Marrant, d'être venu s'installer chez l'ennemi !

Bérurier a déniché des provises, quelques boutanches d'alcool et il se fait une joie de vivre. Il chantonne en mastéguant. Parfois, il s'approche de la chaise où est ligotée Heidi, extrait son pote Dupaf de son hallier et le promène sur le visage de la voyouse. Ecœuré par cette pratique, M. Blanc est allé s'installer au salon. Il a branché la télé et tente de capter les infos. Mais le créneau horaire actuel ne s'y prête pas.

Le copain Conrad gémit sur le tapis. Ses burnes ont dérouillé vilain. Doit avoir des balloches d'étalon, dans les bleus outremer. Ça lui lancine tout le bas-ventre. Quand il sera apte à tirer son prochain coup, il aura droit à sa carte orange, le frelot !

Je me laisse tomber dans un fauteuil, face à Jérémie.

On se regarde sans passion, avec cet air rogue qui discrédite un instant les plus fortes amitiés. Au bout d'un moment de rancœur ruminée, il lâche :

— Tu aimes te foutre dans des ratatouilles comme celle-ci, hein ?

— Ça donne du piquant à l'existence, réponds-je.

Il soupire :

— T'es chié !

Tiens, y avait longtemps !

— Ton idéal, lui dis-je, c'est de balayer des crottes de chien et des...

— ... Tampax usagés le long d'un caniveau ! complète M. Blanc. Aimable allusion à ma fonction initiale de balayeur municipal. Tu devrais te renouveler un peu. Un homme de ta verve !

Il se penche pour couper la téloche qui est beaucoup plus conne que la nôtre, et en allemand !

— On passe la nuit ici ? demande-t-il.

— On pourrait.

— Avec ce porc fangeux qui va nous attraper une cuite à grand spectacle ?

— Il a ses bons côtés.

— Je vais me mettre à les chercher sérieusement parce que ça va faire deux ans que nous faisons équipe et je ne les ai pas encore distingués.

Un temps. Il reprend :

— Ton vieux bonhomme, tu renonces à le retrouver ?

— Félix ?

— Je pige d'ailleurs plutôt mal comment tu pourrais le chercher en t'étant mis hors la loi dans ce pays ! Ces gens l'ont embarqué probablement à l'Est, et tu peux commencer à parler de lui au passé !

Je pars en gamberge, ma pomme ! Vite et bien.

— Pourquoi ont-ils hésité à emmener Toinet avec lui ?

— Le gosse nous l'a expliqué. Ils comptaient se servir de l'enfant pour contraindre le vieux à parler !

— Pour dire quoi ? Il ne sait rien.

— Mais comme les autres s'imaginent le contraire, ça ne résout pas son problème ! Il vaudrait même mieux qu'il ait des choses à dire, ton Félix ; car son silence risque de lui valoir de vilains moments.

— Il a été con d'aller raconter à la police d'Atlanta ce qu'ils venaient de découvrir, le petit docteur et lui. Ce faisant, ils ont déclenché la foudre.

Une voix avinée se met à bramer une chanson du tertiaire, en faisant rouler les « r » comme les boules d'un billard japonais :

Pourrrrquoi m'as-tu trrrrrahi, Lison ?

Tu vois, je suis venu quand maêêmeu !

— Voilà la biture annoncée, grommela Jérémie. Elle est en avance sur l'horaire. Faut dire qu'il se shoote au schnaps.

Mister Alexandre-Benoît se pointe d'un pas à la Groucho Marx, tenant un flacon par le cou.

— V'sereriez gentils de dégager ce canapé où qu' vous traînez vot' cul d'nègre, m'sieur Moricaud, dit-il à Jérémie ; d'abord parce qu'il est blanc et que si vous déteindriez, c'serait dommage ; ensute parce que j'sus déterminé à venir y calcer la nénette d'la custance. C't' une môme qu'est avide du sensoriel et mon chibroque la met en émoisance. D'puis une plombe qu'j'la chauffe au bain-marie, elle est prête à j'ter sa gourmette !

J'ignore si c'est la vue de l'Hirsute qui me stimule. Probable. Par association d'idées ! Je repense à lui, quand, sur la berge du Danube, il a renversé le chargement de gravier sur notre fourgonnette, ensevelissant du même coup le véhicule et la femme morte qui s'y trouvait. Je saute sur le téléphone et, après consultation du cadran, compose le numéro des renseignements. Je baratine à mort la préposée pour qu'elle me dégauchisse le bigophone d'un gymnase situé dans Kärntnerstrasse, au 38.

En un peu plus de pas très longtemps, elle a mon tuyau. Je note le numéro et la remercie chaleureusement.

— Tu vas appeler les gens de là-bas ? questionne M. Blanc, interdit.

— On peut toujours essayer.

— Mais la police a dû les embastiller, après votre coup de force ?

— Pas sûr. On aura évacué les blessés. Ils auront raconté une belle histoire brodée de fils d'or et ils risquent d'être toujours en liberté, en tout cas la fille qui gardait Toinet.

Sans cesser de parler, je compose le numéro.

— Fais taire le Gros s'il déconne pendant que je parlerai. Tu as carte blanche.

La sonnerie d'appel retentit, avec une stridence acide. Un espoir insensé afflue à mon cerveau. Il faut que quelqu'un décroche ! Il le faut absolument ! Je le veux ! J'exige cela du sort !

Béru est reparti, en titubant, vers la cuisine. M. Blanc me flashe d'un œil soucieux.

C'est la sixième ou la septième sonnerie ? Zobinche ! Espoir fallacieux. Il a raison, le Négus : les archers ont dû trouver suspect ce rodéo en pleine ville. Ils auront embarqué tout le trèpe pour l'auditionner.

Dix, onze... Je ne me résous pas à raccrocher ! J'ai décidé qu'on allait me répondre et on va me répondre ! Treize, quatorze...

J'entends glapir Béru dans la kitchenette. Le taureau est déjà à pied de basses œuvres !

— *Ja ?*

Putain, ça me traverse le tympan, toute la tête... Ça ressort de l'autre côté !

— *Ja !*

Comme ça, sans que j'aie perçu le bruit du combiné décroché. Un coup de lancette ! « *Ja.* »

Le Noirpot s'est penché en avant, loin de son derrière qui continue de tutoyer le canapé blanc.

— Salut, dis-je. Ici le Français.

Mon accent doit me servir de caution.

— Je viens vous donner des nouvelles de *Fräulein*

Swoboda, poursuis-je. Ça vous intéresse ou bien on va se faire cuire chacun un œuf?

Le silence est aussi poignant qu'une « vibrante » *Marseillaise* chantée par des patriotes conduits au poteau.

On me raccroche au pif ou non? J'attends.

Puis comme rien ne vient, j'ajoute :

— Bon, n'en parlons plus!

— Attendez!

Ouf! C'est une voix de femme. Avec le « *ja* » tout seul, j'en étais pas certain. J'attends donc. Mais on ne se décide toujours pas. Est-ce pour une question d'écoute téléphonique? Seraient-ils en cheville avec les services compétents?

— Je vais rappeler, dis-je.

Et je raccroche.

Je ne suis pas resté une minute en ligne. Or, il en faut au moins trois pour qu'on puisse repérer l'origine d'un appel. Il s'agit de tenir une conversation par fractions de cent secondes au plus si on veut être peinard.

— Ça marche? demande Jérémie.

— Pas encore, mais ça marchera. Nous n'avons que quelques heures à peine, comprends-tu?

— Et même je me le demande, fait M. Blanc. La police a déjà dû déterminer que votre camion bulldozer a été volé à une entreprise de travaux publics. Si elle se rend à l'endroit où il se trouvait, elle s'apercevra vite qu'il y a une voiture sous le gravier.

Il mémorise bien tout, M. Blanc, lorsque tu lui rapportes des faits. C'est un poulet-né.

Je fais la moue.

— Il faut le temps que l'enquête se mette en route. Ils n'iront pas sur la rive avant le jour.

Déjà, je recompose le numéro du gymnase et cette fois je n'attends pas. Tout à l'heure, la gonzesse devait séjourner dans un appartement voisin où la sonnerie d'appel de la salle d'exercice n'est relayée qu'après une douzaine de sonneries. Toujours cette marotte de vouloir tout piger, ton Antoine, mec. Il veut absolument comprendre le pourquoi du comment des moindres colles et c'est ce qui fait son *look!*

— *Ja?*

Il doit s'agir de la dernière fille du trio. Celle que Béru a « bousculée » au gymnase.

— Je reprends, dis-je, sans perdre ma trotteuse de vue; je suis présentement en sécurité avec Katarina Swoboda. Vous me rendez le vieux et je vous la rends. Ce genre d'échange s'opère fréquemment, dans notre milieu, n'est-ce pas?

Tu sais la réponse?

— Et où se trouve Elsa Labowicz? qu'elle questionne, cette connasse.

Sur l'instant, je cherche de qui il s'agit. Et puis ça me revient : la fille en cuir! Celle que j'ai plantée avec le cure-dents empoisonné de Conrad. Se peut-il qu'on n'ait pas encore retrouvé son corps dans la forêt? Faut croire. Les gens ne sont pas curieux. Les promeneurs qui ont aperçu la bagnole avec une femme à bord ont pensé à une halte d'amoureux. Ils se sont dit que médéme se laissait croustiller le nénuphar et comme ils étaient pas viceloques, ils se sont écartés du terrain de manœuvre! Je pressens la formide aubaine!

— Elle, elle est morte, dis-je. Ça vous intéresserait de récupérer son corps?

Je lui indique le lieu où se trouve feue la surgonfleuse de flic. Comprends bien ma manœuvre : en lui faisant une telle révélation, je renforce ma crédibilité auprès d'elle et de ses aminches. Dès lors, ils ne peuvent mettre en doute que Katarina Swoboda soit vivante et en mon pouvoir, comme on dit dans les romans. Ils pigent que je suis un client sérieux avec lequel il est préférable de composer.

— J'ajoute :

— Envoyez quelqu'un sur les lieux. Sitôt que vous aurez confirmation de mes dires, nous traiterons; je rappelle dans une heure.

Je raccroche. M. Blanc continue de m'observer avec l'air d'en avoir deux (et il les a!). Lui, il doute de ma manœuvre, je sens bien. Il trouve que je perds trop de temps à finasser ; pense que je devrais gauler le noyer tout de suite. Peut-être a-t-il raison ? Tu sais, je me sens très humble, sachant depuis lurette que je ne suis pas digne de moi.

— Le beurre, bordel ! Où qu'est le beurre ? brame Béru en malmenant la kitchenette.

Tu te crois dans du Céline, quand l'ouvrier orfèvre sodomise la femme de son patron absent, tandis que le Louis-Ferdinand mate par l'imposte de la chambre. On le voit passer devant l'ouverture de la porte, d'une allure trottineuse, le futal aux chevilles, la râpe féroce et dodelinante.

— Sans beurre, y a pas mèche ! soliloque-t-il. Pour que mam'selle *Fräulein* va prendre du fion, faut graisser la turbine, sinon c'est son pot d'échappement qui déclare forfait !

Il malmène des casseroles, de la vaisselle, farfouille dans les placards et dans le frigo.

Jérémie hausse les épaules.

— Trop, c'est trop, me dit-il. Ton Bérurier, je ne m'y ferai jamais. C'est la déchéance de l'espèce !

— Ah ! v'là un' bouteille d'huile ! triomphe le Mastard ! Je préfère encore au beurre. D'abord c'est plus économique, et n'ensute plus lubrificateur. Bouge pas, fillette, un' p'tite lotion à mister Popaul, qui pusse performer. Et puis tiens : un chouïa dans tes pourtours, manière que tu me réceptives dix sur dix. V'là qu'on est parés pour la manœuv', ma poule. J'va t'opérer en souplesse, n'aye crainte ! Tout dans l' velours ! Ça t' chicanera p't'êt' au départ, mais c'est comme les godasses : faut qu'é se prêtent. Un' fois qu' t'as un peu marché av'c, t'es comme dans un nuage.

Pendant que le Monstrueux copule en grandes pompes, nous devisons, M. Blanc et moi-même. On cherche à cerner l'affaire, depuis son origine. Cette foutue épidémie de variole aux U.S.A. Le motel, avec les deux gonzesses que le F.B.I. est venu arrêter et qui se sont débarrassées comme des folles du container abritant des ampoules de virus. Le père Ferguson qui les découvre et en claque. Un peu plus tard, deux connards, le petit docteur ricain et le professeur Félix, rétablissent les faits et vont déposer chez les roussins d'Atlanta. Aussitôt, des vilains se mettent à leurs trousses pour les liquider. Félix s'en sort de justesse et débarque en Autriche, où il est repéré par l'équipe des trois gonzesses.

— C'est là que se situe la charnière, déclare le Noirpiot. Aux U.S.A., ce sont vraisemblablement des agents ricains qui ont voulu les neutraliser. Ton ami revient en Europe, et c'est alors un groupe de l'Est qui s'empare de sa personne !

L'appartement retentit de gémissements, comme l'écrit avec sa vigueur coutumière Jean-François Revel. Près de nous, Conrad gémit de souffrance et dans la kitchenette, sa gagneuse accuse les rudes assauts du Gros.

Je me lève pour aller me pencher sur le voyou. Il rive sur moi un regard plein de souffrance et de haine.

— Tu vois où ça vous mène, l'arnaque ? lui fais-je en m'asseyant en tailleur sur la moquette. Je vais t'énoncer une grande règle, Conrad : on ne peut vraiment pigeonner que des pigeons. Toi, tu t'attaques aux aigles, soit dit sans me vanter ! Alors ça foire, fatal !

Je ris. Pas lui.

— Raconte qui tu es allé voir pour me brancher sur les gonzesses que je recherchais.

Tu penses qu'il va sûrement battre à niort, biaiser, louvoyer, si je le laisse faire. C'est pourquoi, avant qu'il ne l'ouvre, je plaque ma main sur son sale museau et lui dis :

— Attends, te presse pas. Ce qu'il me faut, c'est la vérité tout de suite. Y aura pas de session de repêchage comme au bac. Réfléchis bien avant de répondre. Un zéro pointé et tu es mort !

A côté, ça fait plus que de reluire : ça étincelle. L'huile salvatrice a accompli sa mission et la *Fräulein*

Heidi carbure à deux cents à l'heure. La *Testa Rossa* d'Alexandre-Benoît l'emmène fourvoyer dans les zéniths. J'ai eu l'occasion de la voir à l'ouvrage et d'entendre sa complainte de la motte, Heidi. Elle est partie pour le grand circuit dans les étoiles. Mon camarade l'encourage de ses vociférations que je n'aurai pas l'audace de reproduire ici, n'ayant pas le goût de l'outrance. Toujours est-il que, dans la cuisine, c'est l'hallali, le tumulte, la charge sauvage, le déferlement, le séisme. Tout bouge, tout bruit, tout se fendille. On perçoit des craquements dans les hardes. On entend pleuvoir des vis, éclater des joints, gicler des rivets. La table rabattante, support de la troussée, choit.

— Prends appuille su' l'évier, salope ! ordonne le commandant de baise. Comment ça, y branle ? Y va tiendre jusqu'au bout, panique pas !

J'ôte ma main de la bouche du malfrat.

— Tu entends ça ? rigolé-je. Ta bonne femme, faudra la faire asseoir sur des coussins pendant quelque temps. Alors, le nom du ou des mecs que tu as contacté(s) ?

Chez lui, la rage l'emporte sur la peur :

— Va te faire enfler, fils de pute !

Voilà ce qu'il me rétorque, ce gland ! A moi ! Fils de pute ! J'évoque à toute pompe ma Félicie qui dort dans son lit d'hôtel à Abano.

— Je crois que tu as eu tort, grincé-je.

« Fraoum ! » gueule l'évier de la kitchenette en se descellant.

— Oh ! putain d'elle, c'est pas vrai ! égosille Béru, mais rien n' tient d' bout dans c'te carrée de merde ! Le matériau, y sont encore plus tocassons qu' chez nous ! Tiens-toi à cette manette, la mère ! On va bientôt sortir not' train d'atterrissage, ma grande. Quoi, c'est la poignée du vide-ordures ? Et qu'est-ce tu veux-t-il que ça me foute ? Ça s' rabat. Eh ben ! rabats, ma gosse ! Rabats ! t'en auras le cul que plus haut ! C'te fois tu t' cramponnes au cadre de fer ; s'il casse, c'est qu' ta baraque est nase !

Je biche Conrad par ses liens et le traîne jusqu'à la cuisinette.

— Tu vois que ça n'est pas du chiqué, lui dis-je. Quand mon pote l'abandonnera, le fion de ta souris, ce sera l'estuaire du Danube !

La fille est au paroxysme ; à ce point chavirée qu'elle crie à Bérurier qu'elle l'adore, qu'il est beau, unique, formidable, inoubliable. Y a pas eu d'homme avant lui, y en aura plus jamais d'autres après ! Elle est à lui pour toujours. Faut qu'il l'emporte, qu'il la garde auprès de soi. Elle tapinera pour lui. Elle fera des ménages. Lui reprisera ses chaussettes (la malheureuse !). Du coup, le bull-dog hurle à la lune ! Et c'est la gigantesque apothéose. L'intense éclatement. Une planète vient d'exploser dans la Galaxie ! Vaincue par l'intensité de son plaisir, Heidi tombe à genoux sur le carreau, la joue contre le sol, les bras allongés dans une attitude de fanatisme éperdu.

— C'est trop, c'est trop, balbutie-t-elle.

J'attends le vent béruréen qui marque toujours la conclusion de ses amours, mais rien ne vient et il remonte son tas de pantalon et de caleçon.

— Qu' j' me refasse une beauté, soupire-t-il.

Il rajuste sa ceinture.

— Celle-là, je m' l'ai repérée d'entrée d' jeu, me dit-il en posant sa grolle sur le fessier de Heidi. C't'une vraie d' vraie, comprends-tu-t-il ? Le cul en alerte vingt-quat' plombes su' vingt-quat'. Ça se sent illico presto, ces choses, comme si elles émettreraient des ondes, tu piges ? Des fluves, comme on dit. La mollusque toujours en surchauffe ! Quand elle m'a repéré le Pollux, c'était souscrit d'avance. Alors j'ai voulu frapper un grand coup ! Qu' le souv'nir devinsse un père hissable. J' m'ai dit : « Sandre, tu lui prends l' petit, d'autor'. Sans baragouiner ! Le choc des photos, le poil des mots ! »

Il saisit le flacon de schnaps, s'en téléphone une lampée et, désignant Conrad.

— T'as du suif av'c le cocu ?

— Je lui pose des questions auxquelles il répond par des insultes.

— Pace que tu lui poses mal, Antoine. T'es trop timoré, j' va te montrer.

Il se penche pour attraper le camarade cornard, l'entraîne au vide-ordures dont l'entrée est béante et l'y enfourne à demi.

— Redemande-z-y ce que tu voudrais qu'il te dira.

A demi introduit dans le conduit noir, Conrad supplie qu'on l'en arrache et promet d'être coopératif.

— Laisse-le mijoter un peu, rigole l'Enflure, il est en train d'acquérer l'âge de raison. Et même, on va lui faire déguster le vide d'un peu plus !

Il pousse le corps ligoté dans le dévaloir, ne le retenant plus que par les jambes. Les cris du gars plairaient à l'ayatollah car ils se font persans.

— Bon, voyons où il en est ! décidé-je.

Mais il se produit un incident imprévu (comme la plupart des incidents). Heidi vient de se remettre debout. D'un bond elle bouscule Bérurier afin de lui faire lâcher prise. Son intervention est si prompte, si efficace, que le Mammouth, effectivement, abandonne les quilles de Conrad. On entend sa descente interminable par le conduit qui vibre et résonne. Les hurlements décroissent dans les profondeurs du puits métallique. Immobiles, tendus, nous écoutons. C'est long, ça n'en finit pas. Si, pourtant ! Un choc lointain et sourd. Plus de cris. Conrad est arrivé à destination.

— On est au combien t'est-ce d'étage, déjà ? s'informe le Mastard.

Heidi éclate d'un grand rire et se met à danser une gigue de joie.

Elle a le deuil fantasque, la Veuvasse !

DESSINE-MOI UN TRAIT DE GÉNIE

Elles sont imprévisibles, les gonzesses.

N'établis jamais de projets à long terme avec l'une d'elles, tu risquerais d'être fait marron. Ainsi, la marchande de cartes postales... Tu la croyais maquée à outrance avec son méchant. Docile ! A sa botte ! Elle était sa gagneuse, sa chose, son instrument de travail. Et puis, tu vois ? Au déboulé, elle a le geste libératoire. Aux ordures, le gros vilain ! *Bye-bye !* Et là, la feinte est belle ; car somme toute, c'est pas elle qui l'a balancé par le toboggan à saloperies. Il y était déjà engagé jusqu'aux cuisses. Une simple bousculade qu'elle peut prétendre faux mouvement, la garce ! Et poum mister Conrad est allé becter du trognon de chou dans les profondeurs.

— On devrait aller voir où il en est, fais-je, peut-être que, sa chute étant freinée par l'étroitesse du conduit, il en aura réchappé.

Le Mastar enquille sa grosse tronche par l'orifice après m'avoir intimé de la boucler. Il sonde les échos caverneux, puis réapparaît, congestionné et hoche sa hure.

— S'il vivrait encore on entendrait ses geigneries, assure-t-il, car ça fait caisse de résonance.

— Il l'a tué ! me déclare Heidi en souriant.

— Ça n'a pas l'air de trop te contrarier ? noté-je.

— On ne pouvait pas me rendre un plus grand service : ce salaud me terrorisait depuis des années.

— Il fallait le quitter !

— Vous croyez que les sales types comme lui acceptent qu'on les laisse !

Elle se coule dans les bras du Gros. Lui roule une galoche farceuse, ce qui dénote une nature courageuse. Les amoureux doivent être seuls au monde. Je repasse au living. Jérémie, debout, mains aux poches, le blanc des yeux jaune, le reste féroce, déclare :

— Ça merde de plus en plus ton histoire, Sana. T'es chié quand tu t'y mets. Combien de cadavres jusqu'à présent ?

— On fera le bilan en fin d'année, dis-je ; j'ai pas pris ma machine à calculer.

Il est l'heure de rappeler le gymnase. D'un index déterminé, je recompose le numéro. Contre toute attente, comme on dit puis dans les ouvrages, personne ne répond.

Là, je l'ai saumâtre. Ça signifie quoi donc, selon toi, ce silence ? Que les mecs de la Kärntnerstrasse ont mis les voiles ? Qu'ils renoncent à négocier avec ma pomme ? Ou bien qu'ils sont à mes trousses ?

Le tendre couple Heidi-Béru nous rejoint, enlacé. Faut-il qu'elle soit sensible à la membrane, la môme, pour chiquer les Juliette avec ce sac à merde de Roméo ! Ça boxonne dur dans cet apparte, mon fils ! Je suis certain qu'elle envisage maintenant de s'emplâtrer le gars Jérémie. Une *black* chopine compléterait bien son tableau de chasse, à Ninette. Elle porte juste la main droite de Bérurier en guise de slip. Une dextre à laquelle manque provisoirement le médius !

— Que vouliez-vous savoir de Conrad ? elle me demande. Je pourrais peut-être vous renseigner ?

Chère enfant ! Délicieuse chérubine soucieuse de coopérer franchement. Elle a carrément changé de camp et entend payer son écot.

Je lui explique que j'eusse aimé savoir chez quel arnaqueur de première grandeur Conrad s'est rendu pour lui parler de moi. Et comment il s'est fait que le mystérieux personnage eût été si bien en cheville avec le trio d'espionnes bulgares (de Lyon).

Heidi me sourit.

— Il y a, à Vienne, un homme très protégé, qui peut à peu près tout. Il gravite dans les sphères politiques et journalistiques. Le Milieu est à sa dévotion. Les chefs d'entreprises lui versent des prébendes. Les artistes se pressent à sa table. C'est lui que Conrad a contacté après votre départ. Il lui a raconté ses mésaventures avec vous et le marché que vous aviez conclu tous les deux. L'homme dont je vous parle lui a demandé d'attendre ses instructions. Dans l'intervalle, Conrad m'a suggéré d'aller à votre hôtel pour vous séduire et essayer de vous prendre la seconde partie de la liasse.

— Mission dont vous vous êtes parfaitement acquittée, ma jolie.

Elle rougit et hausse les épaules.

— Donne-moi les coordonnées de ce potentat de la pègre, Heidi.

— Il se nomme Karl Paulus, il est avocat et habite Weihburggasse.

— Tu as son téléphone ?

— Il est dans l'annuaire.

M. Blanc sort de sa semi-léthargie pour m'apostropher :

— Alors on joue la carte Paulus ?

— Qu'en penses-tu ?

— Nous sommes bien obligés de faire quelque chose ; d'autant qu'avec le cadavre dans le vide-ordures, on ne peut pas s'éterniser chez cette pute... Oh ! merde, t'es chié avec ta manie de débaucher les braves balayeurs noirs pour en faire des poulets ! Si je ne t'avais pas rencontré, je serais en train de dormir au côté de ma chère Ramadé.

— Penses-tu, soupiré-je, vous ne pioncez jamais, ta tribu et toi, dans votre appartement-gourbi. A trois heures du matin, tes chiares se font cuire du mouton à même le sol de la cuisine !

Il a la nostalgie qui l'empare, M. Blanc. A fleur de cœur.

— C'est vrai, rêvasse-t-il, il y a les gosses, si joyeux qui grouillent autour de nous ; que vont-ils devenir si je me fais abîmer dans ta saleté d'affaire ?

— Des orphelins de père, réponds-je. C'en est plein, tu sais. Moi, je le suis bien...

Il ne répond pas et feuillette l'annuaire du bigophone qui se trouvait sur une tablette, près de l'appareil.

— Tiens, me fait-il, le numéro de votre ami Paulus.

Son gros doigt café au lait souligne le nom de l'avocat.

— Tu t'imagines que je vais lui demander rendez-vous de but en blanc ? objecté-je.

— Pas toi : la pétasse !

Voilà, ça se présente comme ça.

Deux poings, ouvrez les cuisses.

Une maison ancienne, peinte de couleur vert Nil, avec l'entourage des portes et des fenêtres en blanc. Délicate demeure qui dénote, de son propriétaire, l'amour d'un certain art de vivre. Elle est coincée entre deux autres maisons moins belles, dont l'une est en réfection, si j'en crois les échafaudages qui la ceignent. Elle comporte un étage, plus un second mansardé dans le noble toit. Une plaque de cuivre gravée de caractères gothiques flanque le délicat perron d'une sizaine de marches. Une grosse lanterne de fer forgé pend à une potence ouvragée. On mate tout ce topo depuis la charrette d'Heidi, stationnée à quelques encablures.

Le rez-de-chaussée de la demeure est obscur, mais de la lumière brille à deux fenêtres du premier ainsi qu'à l'une du second étage.

D'après ce qu'en sait la môme Heidi, maître Karl Paulus vit avec sa femme, une matrone de deux cents kilos et sa maîtresse, une vamp platinée comme dans les films américains d'avant-guerre. En toutes circonstances, il présente cette dernière comme étant sa collaboratrice, bien qu'il fasse chambre commune avec elle. Sa bobonne, elle, roupille au rez-de-chaussée car elle est à demi impotente. Ils ont deux domestiques : un couple, pas de la première fraîcheur. La femme est cuisinière, l'homme valet-maître d'hôtel. De plus, un type qu'il déclare être son chauffeur (et qui l'est d'ailleurs) lui tient lieu de garde du corps. Cet individu dort également à la maison.

— Bon, ronchonne M. Blanc, tu vois ça comment ?

« Ça », c'est-à-dire le coup monstrueusement culotté que j'ai concocté. Au lieu de répondre directement, je demande :

— Selon toi, frisé, y a quelle distance du toit de la maison en réparation à celui de Paulus ?

— Les quatre mètres prévus par les exigences de l'urbanisme, je suppose ?

— Et c'est combien, ton record de saut aux jeux scolaires du Sénégal ?

Là, il réagit :

— Tu as la prétention de me faire passer d'un toit à l'autre ?

— Pas de te faire passer, mais de te regarder sauter, grand nègre de la jungle. Il y a une terrasse à l'arrière de la crèche à Paulus. Un tétraplégique réussirait ce bond en se marrant !

Jérémie se tourne vers Béru, à défaut de témoin plus valable.

— Il est chié, ce mec ! Il me prend pour un léopard !

— Plutôt pour un chien pansé, retourne l'Enflure.

Je passe outre les protestations de Jérémie :

— Une fois sur la terrasse, tu débondes la porte-fenêtre qui donne dessus avec l'objet que voici et auquel je tiens. Ça te prouve la confiance que j'ai en tes performances physiques. Tu te coules dans la baraque et tu attends que je t'appelle. Voici un feu avec encore quatre prunes en magasin, sois économe. Tu devrais ôter tes pompes pour exécuter ce rodéo afin de ne pas faire de bruit.

Il est dominé par mon autorité tranquille, Jérémie.

— Et le gros lard, pendant ce temps ? demande-t-il.

— Lui, il restera en réserve dans la rue. Quand on nous ouvrira, je m'arrangerai pour enquiller cette boulette de chewing-gum dans la gâche de la serrure afin qu'il puisse l'ouvrir sans clé.

— Et comment saurai-je-t-il que ma présence est souhaitée ? demande le Mahousse, avec emphase.

— Je m'arrangerai pour te le faire savoir. Pigé ? Allez, les gars, haut les cœurs, un pour tous et tous pour moi ! File, Jérémie. Nous allons attendre que tu sois en place pour déclencher le bal.

Il est parfait, l'artiste. Posément, il quitte son veston, le dépose sur la plage arrière de la tire. Dessous, il porte un pull marron, que je qualifierais de « tête-de-nègre » s'il se trouvait sur un autre torse. Ensuite, il se défait de ses mocassins, puis de ses chaussettes beiges, trop claires dans la nuit.

— C'est marrant, ces Noirauds, comme y reniflent la ménagerie, remarque Béru.

— Chaque race a ses effluves, déclare Jérémie. Les Noirs sentent la ménagerie, les Jaunes le musc et les Blancs le cadavre. Toi, en supplément, tu pues la merde, et pas la merde de bonne qualité.

Ayant dit, il glisse le pistolet que je viens de lui remettre à l'arrière de son futal, se fond dans l'ombre et gagne la maison en réfection.

Cinq minutes plus tard, je distingue sa silhouette élancée au bord du toit. Un brusque traczir me biche. S'il rate son coup, l'ancien balayeur, il risque de se briser la nuque ou la colonne vertébrale !

Je le vois, ramassé sur lui-même, son buste faisant un mouvement de piston. Et puis c'est la détente soudaine. Il avait raison, le Gros : un singe ! Sauf qu'il se rattrape pas par la queue, M. Blanc. Le voici à quatre pattes sur la terrasse de Karl Paulus. Il y demeure un moment immobile, se redresse méticuleusement et s'approche de la porte-fenêtre. Je lui ai appris, naguère, à se servir de mon sésame. Cric, crac, fric, frac, il ouvre et entre.

Je tapote l'épaule de *Fräulein* Heidi.

— On y va, chérie. Mais une dernière fois, je t'avertis : si tu cherches à me blouser, je te tire une balle dans le coccyx et tu ne pourras plus baiser que par correspondance.

C'est l'avocat en personne qui vient répondre à notre coup de sonnette. Il a une tronche léonine, le gus. La face lombaire avec d'épais cheveux presque blancs rejetés en arrière et maintenus par une paire de lunettes à monture d'écaille qu'il porte à la Jean Dutourd car, comme l'illustre académicien, il a davantage besoin d'un serre-tête que de verres de vue.

Son regard clair est ombragé (on écrit toujours comme ça dans les livres qu'ont de la tenue : « ombragé ») par d'épais sourcils qui, eux, curieusement, sont très bruns.

Le maître doit en mesurer deux, comme l'écrit Mgr le comte de Paris et banlieue dans son fameux traité sur la pêche au thon dans la Haute-Marne. Il se trimbale une brioche grosse comme une bétonnière et porte une veste d'intérieur de couleur champagne, avec des revers de soie noirs, des brandebourgs et des épaulettes de Cosaque.

Passe un moment de silence au cours duquel il nous scrute, Heidi et moi. Puis il s'efface pour nous laisser entrer. Demeure bourgeoisement tudesque : de la pierre, des boiseries, des tapis, des meubles sinistros et des tableaux tellement sombres et folichons que les peintres qui les ont brossés ont dû ensuite entrer dans des monastères pour retrouver le goût de vivre.

Toujours sans un mot, il nous conduit au premier, là que se trouve son vaste bureau-bibliothèque avec des échelles d'acajou pour pouvoir attraper les livres dont le nom de l'auteur commence par « A ». Sa table de travail est sobre comme le tombeau de Charlemagne et son fauteuil à peine plus grand que le trône du défunt shah d'Iran. Paulus va y prendre place et nous désigne les deux sièges, relativement modestes, disposés en face de lui.

Ayant perçu comme un glissement derrière moi, je me retourne et avise un horrible gazier qui a eu la tronche éclatée à un moment délicat de sa vie et qui a été réparé par Picasso déguisé en chirurgien esthétique. Je suppute qu'il doit s'agir du porte-flingue de l'avocat.

L'arrivant s'assied près de la porte.

La tension grimpe. Le silence se fait angoissant.

A la fin, maître Paulus croise ses mains manucurées devant soi et se met à fixer Heidi d'un air interrogateur qui la glace.

— Je vous remercie d'avoir bien voulu nous recevoir à une heure aussi avancée pour son âge, maître, attaqué-je.

Il me dit :

— Vous pouvez parler français.

En français. Preuve que mon accent germanique péclote. Mais lui, pas un poil d'accent! Il serait d'Arcachon ou de Pithiviers il causerait pas mieux ma chère langue fourrée.

— Merci, maître. Je suis l'homme dont vous a entretenu Conrad Wilfrid, ce matin, ou plus exactement hier matin, puisqu'il est passé minuit. Je réclamais de l'aide et j'ai obtenu un guet-apens, ce qui indiquerait que vous préférez les agents de l'Est aux agents français. A cause de votre intervention, j'ai vécu une journée difficile qui a occasionné le décès prématuré d'un certain nombre de personnes, des femmes principalement.

Je m'attends à ce qu'il proteste, dénègue, me joue un petit air de musique de chambre, mais il continue de m'écouter avec détachement, ses grosses pattounes toujours nouées sur le sous-main.

— J'estime, mon cher maître, que vous me devez réparation pour le grave préjudice que j'ai subi. Vous connaissant de réputation, je sais qu'il va vous être facile de m'aider. Ce que j'attends de vous c'est de retrouver un vieil homme innocent que les Bulgares ont entre leurs mains. Il me le faut dans les délais les plus brefs, c'est-à-dire avant la fin de la nuit. J'ajoute que si vous me refusiez votre assistance, il s'ensuivrait pour vous de très grosses tracasseries.

Je pousse Heidi du genou. Elle murmure :

— Ils ont tué Conrad, *Herr* Paulus.

— Ainsi qu'Elsa Labowicz et Katarina Swoboda, si leurs noms vous disent quelque chose, ajouté-je.

Mais le gros type ne s'en laisse pas conter. Je le vois passer la main sous son bureau. Et moi je sais ce qu'il est en train de faire. Tel un présentateur de T.V. en cours de journal, il cherche le bouton destiné à avertir en régie qu'on envoie le document chargé d'illustrer son commentaire.

Je lui souris.

— Ne vous donnez pas cette peine, mon cher maître.

Je lui montre une minuscule paire de pinces logée dans le creux de ma main.

— Je viens de sectionner le fil de votre alarme.

Là, je marque un point, car il perd de son impassibilité.

— J'aime pouvoir discuter sans arrière-pensée avec un interlocuteur comme vous, maître Paulus.

Y a des gens, tu vois naître et croître la fureur sur leur visage comme tu vois arriver un orage tropical au-dessus de la mer. Ça s'assombrit, un souffle puissant agite leurs poils de nez et leurs yeux lancent des éclairs.

Dis, il va pas éclater ? Son énorme bedaine paraît contenir des quintuplés arrivés à terme et qui se bousculent devant la chicane.

— Kurt ! il glapit, tout en me désignant.

Le porte-coton bondit. Un vrai molosse dressé. les crocs crochetés. S'il te mord, faut que la viande soit arrachée, sinon il peut plus déplanter ses ratiches.

La vélocité du zig, *Mamma mia !* Il est déjà sur moi. Que juste j'ai eu le temps de virguler mes pinces coupantes dans le carreau de la fenêtre, histoire d'alerter Bérurier.

Déjà, le gorille m'a saisi les bras par-dessus le dossier

de ma chaise et me les ramène en arrière au point de les faire craquer.

— Blanc ! crié-je.

L'homme de main est un grand pro. C'est Çiva, ce type ! Il a six bras ! Déjà il m'a rousti mon feu, sans me lâcher d'un iota. J'ai l'impression d'être cimenté sur mon siège.

Le gros Paulus se lève.

— Ne le lâche pas ! dit-il.

Il va à sa bibliothèque et fait pivoter un panneau de livres trop dorés pour être lus, dévoilant un réduit de deux mètres sur deux.

— Amène-le ici ! enjoint-il.

L'homme à la frime implosée m'oblige à me lever par une double torsion de mes omoplates. Merde, qu'est-ce qu'ils branlent, mes potes ! Ce serait le moment de jouer Ruy Blas pourtant ! En avançant vers le réduit, je constate qu'il est capitonné, insonorisé et pourvu d'une banquette fixée au mur. Charmante oubliette. Elle doit servir à calmer les partenaires récalcitrants lorsque la discussion capote.

Il décroche son téléphone, pianote, attend peu et dit :

— Paulus ! Venez prendre livraison d'un colis qui vous intéresse.

Puis il raccroche. Peu bavard pour un avocat ! Nous sommes devant l'entrée du réduit. A ce moment précis, une voix qui a tendance à escamoter les « r » lance :

— Lâchez-le, sinon je fais une bêtise.

Quand je te dis qu'il escamote les « r » : on ne peut pas s'en apercevoir dans la phrase ci-dessus, mais ça donne en tout cas cette impression.

Jérémie vient d'entrer, tenant devant lui une jolie dame blonde par la taille. Il lui braque le canon de son feu sous le menton. Stupeur des deux Autrichiens.

— Je vous ai dit de le lâcher ! réitère mon *black* pote.

— Laisse ! fait Paulus à Kurt.

Ouf ! j'ai les ailerons complètement paralysés.

Et puis voilà encore du nouveau ! Un type en pyjama

et robe de chambre surgit avec une pétoire qui a l'air d'être une réplique de cette fameuse grosse Bertha qui tirait sur Paris pendant la Quatorze. Il en pose le canon sur la nuque de Jérémie. Et il dit, en autrichien, mais mon pote comprend :

— Laisse tomber ton pistolet immédiatement, sinon y aura une flaque de sang sur le tapis de monsieur.

Et M. Blanc, amer, jette son flingue par terre. C'est le moment que met Béru à profit pour entrer à son tour dans la pièce qui se met à ressembler à une pièce de Feydeau. Lui, il pense pas, il cause pas, mais il cogne. Sa fameuse manchette de gladiateur de la Villette au cou du larbin pyjamé. Boum ! au tas !

Mister Mastard s'empare des deux feux souillant le sol.

— J' croive qu' c' sera tout, annonce-t-il. Y a plus personne derrerière moi.

Pour lors, je biche le flingue de mon gorille :

— Tu permets, Gras-Double ?

Et je prie maître Paulus et son garde du corps d'entrer dans le réduit. Ensuite je fais pivoter le panneau. Un claquement sec se produit, qui marque la fermeture d'une serrure de haute technicité. Voilà mes deux ex-antagonistes à la niche.

Béru exulte. Parade devant le gars Jérémie.

— Qui est-ce qui l'aurait eu dans les miches sans l'intervenance du gars Bérurier, Niacouais ? Le mec qu' j' viens d'allonger, y t' filochait l' train depuis l'escadrin, et toi, bonne pomme, trop occupé à serrer la gonzesse, tu ne t'apercevais de rien, Dégourdi sans maïs !

Je tends l'oreille pour m'assurer que les deux prisonniers ne font pas de ramdam. Mais le réduit est si parfaitement insonorisé qu'ils pourraient y tirer un feu d'artifice et y organiser un défilé de majorettes sans qu'on en perçoive le moindre écho depuis le burlingue.

Une qui est dépassée par les événements, c'est la brave Heidi. Elle se croit dans un film ricain, la mère !

— Selon toi, murmuré-je, à qui a-t-il téléphoné ?

Elle hausse les épaules.

— A l'équipe des Bulgares ? insisté-je.

— Il me semble, en effet, ne disconvient-elle pas.

— Donc, ils vont s'amener ici. Ce qui fait que, comme je souhaitais les rencontrer, je vais être comblé. En tout cas, je te remercie pour ton comportement : tu as été réglo.

— Je trouve qu'avec vous autres, la vie est plus marrante, répond simplement la douce enfant.

Je flatte sa croupe et m'approche de la dame blonde que ceinturait M. Blanc. Beau châssis, pouliche de race. Une dénoyauteuse de burnes patentée ! Comment qu'elle doit lui faire gicler la cervelle, au cher maître !

— Elle écoutait depuis la porte de sa chambre, m'explique Jérémie. Je l'ai ceinturée par surprise.

— Il va falloir la neutraliser, ainsi que le téméraire endormi par le Gros. Et puis veiller à ce que les autres occupantes de cette crèche se tiennent peinardes. Allons, les mecs, grouillons, j'attends du monde !

— Les voilà ! annonce M. Blanc, embusqué derrière une fenêtre éteinte.

Noir dans le noir, il niquerait l'Homme invisible pour peu que celui-ci eût gardé son préservatif.

— Tu es sûr ?

— Complètement : la bagnole vient de s'arrêter devant la maison.

— Combien sont-ils ?

— Trois : une fille et deux types.

— Ils se présentent ici à trois ?

— Non : un des gars reste au volant.

— Parfait ! Mettons-nous en place.

Et c'est le branle-moi le con bas, comme dit Béru !

Tout se joue sur la confiance que je place en Heidi. Faut être gonflé pour lui laisser la bride sur le coup après ses arnaques préalables ; mais il semblerait que nos séances amoureuses, au Gravos et à moi, l'aient complètement gagnée à notre valeureuse cause. J'ai idée que si on parvient à s'arracher à cette gadoue, il faudra que nous l'emmenions avec nous, car elle risquerait de ne jamais devenir centenaire dans son bled !

Elle descend répondre au discret coup de sonnette. Avec Jérémie, on s'accroupit chacun derrière les deux canapés du salon, tenant notre feu par le canon pour n'utiliser que sa chère crosse contondante.

Si Heidi nous bite, on l'aura dans l'oigne, ainsi planqués. Sinon, tout devrait se passer comme dans un conte de *Nous Deux*.

Quant à Béru, une fois encore : il est « d'extérieur » car j'ai prévu la probabilité que l'un des arrivants reste dans la bagnole.

La porte s'ouvre. J'entends Heidi saluer les arrivants brièvement.

— Monsieur, madame...

Puis elle ajoute :

— Si vous voulez bien me suivre.

Nul chuchotement, tout s'enchaîne rapidos. Des pas qui se rapprochent. La porte du salon s'ouvre, Heidi actionne un commutateur.

— Si vous voulez vous asseoir, maître Paulus vient tout de suite !

Je lis les ombres sur la moquette. L'homme se laisse choir pile devant Jérémie. La gonzesse, surexcitée sans doute, est restée debout et se déplace dans la pièce, cette conne ! Elle examine les tableautins Dix-septième accrochés aux murs. La voilà qui va contourner le canapé et m'apercevoir. Jérémie a-t-il réalisé ? Oui, j'espère. Faut qu'il se paie le mec dare-dare ! Il est fabule, ce Noir, car il lit mes pensées, je te jure ! Je perçois un coup sec, qui sonne le creux. Alors je bondis, revolver au poing (je l'ai repris par le bon bout).

— Lève tes pattes, connasse ! hurlé-je à la fille.

Là, elle est bichée au dépourvu. Si elle trimbale une arme, elle a dû la carrer dans sa culotte, car elle conserve les mains libres. Je bondis par-dessus mon canapé et fonce sur elle. Elle veut battre en retraite, mais c'est l'instant que choisit Heidi pour rouvrir la porte et, kif dans un sketch comique, la blonde se pète la frime contre le montant. Ça raisine ! L'aveugle. Moi, *no* pitié : taquet au menton pour l'endormissement. C'est devenu rituel dans nos rangs. Le somnifère de poing. Tchloc ! Une patate justement appliquée et « bonsoir les petits ». Elle commence à en avoir l'habitude depuis notre coup de force au gymnase.

Jérémie va s'emparer d'un rouleau de corde que nous avions préparé sous un pouf. Il entreprend de saucissonner la coterie pendant que je vais mater les événements extérieurs.

De ce côté-ci, faut pas se plaindre : ça baigne ! Et de la manière la plus simple qui soit. Figure-toi que le Dodu qui guignait depuis la charrette d'Heidi est descendu et qu'il s'approche de l'autre bagnole. Il tient sa brème à la main. Y a écrit « Police » dessus et ce mot est quasiment international. Excepté le japonais, le chinois, le sanscrit, le zanzibarien et le sourd-muet, il s'écrit presque partout de la même façon.

Avec autorité, il toque à la vitre du conducteur et plaque sa carte dessus. Puis il fait signe à l'autre de déhotter, ce que fait le gars sans défiance. Coup de tronche béruréen. Ecroulement. Sa Majesté vient pousser la porte infermée tout en coltinant sa victime par le colback. Bientôt, nous opérons notre jonction au salon. Il a le chauffeur sur les épaules. S'en déleste d'un mouvement de meunier.

— Tu me feras un paquet de çu-là aussi, c'est pour offrir, dit-il à M. Blanc, lequel en terminait avec son propre client.

DESSINE-MOI UN PROJET DE FIN POUR CE LIVRE A LA MORDS-MOI LE NŒUD

Dans la vie, c'est toujours l'inattendu qui se produit. Et c'est à cause de cela qu'elle parvient à nous être supportable.

Ainsi, tu vois, dans ce coup de trafalgar que nous opérons chez Me Karl Paulus, il existe un personnage que je n'ai point encore vu et à côté duquel je serais passé sans m'y attarder, nonobstant la môme Heidi. Il s'agit de la légitime du maître.

A ma demande, mes sbires l'ont neutralisée dans sa chambre, mais elle émet des plaintes qui attirent l'attention de notre nouvelle alliée. La veuve toute fraîche de Conrad va aux nouvelles, assiste la grosse dame impotente et revient beaucoup plus tard, alors que nous sommes en pleine conversation avec la dernière fille du fameux trio bulgare.

Cette dernière, c'est coriace et bouche cousue. Parler ? Fume ! Tout ce qu'elle m'apprend c'est qu'on a retrouvé le cadavre de la Swoboda sous le monceau de gravier. Un clodo a alerté les flics. Elle ne me révèle la chose que pour me traiter d'assassin. Sinon, elle joue le grand air de La Muette, ce qui me chagrine car des lueurs incertaines commencent à marquer l'horizon. Dans une plombe il fera jour. Nous devrons déguerpir et alors ce sera l'hallali ! Puis la curée ! Non seulement nous aurons les pandores sur les endosses mais, de surcroît, tout le Mitan viennois, mobilisé par Me Paulus. Cette nana, Béru a beau la houspiller selon ses méthodes éprouvées, elle reste claquemurée dans sa haine comme dans la plus inexpugnable des citadelles.

— Faut donc qu'j'vais la découper en morcifs? s'enrogne Pépère.

Je ne réponds rien. Je pense à Félix qui me paraît perdu à jamais pour nous, à Toinet qui roupille chez la môme Heidi, tout seulâbre, à la merci d'une intrusion de nos ennemis. Je pense à notre sécurité compromise. Je pense à m'man qui repose chastement dans son lit d'Abano en attendant l'heure de se faire tartiner de boue chaude. Et puis je pense à la vie dans son ensemble, grinçante et décevante mais, comme la démocratie, préférable à toute autre forme d'inexistence !

L'entrée de Heidi me réagit.

Elle m'adresse un geste d'appel. J'y réponds.

Au lieu de s'expliquer, elle me guide au sous-sol. On traverse une cave à vin, sublimement équipée et approvisionnée, avec un régulateur de température, des casiers de ciment étiquetés. Des noms français chantent de-ci, de-là. Noms de bordeaux, de bourgognes. Des rouges, des blancs. L'Alsace, la Touraine ! Le Jura et son Château Chalon !

Elle traverse le vaste local. Vachement médiéval de tempérament, le maître raffole des portes secrètes, des parois pivotantes, des oubliettes en tout genre car, tout au bout, il y a un vieux pressoir de bois, très ancien. Quand tu tripatouilles au bon endroit, il s'écarte, laissant apparaître une ouverture. Par cette ouverture, on aperçoit une chambre des tortures telle qu'en rêvent les bourreaux nostalgiques du Moyen Age.

— Comment as-tu découvert cela ? m'inquiété-je.

— Mme Paulus. Elle hait son mari qui lui a fait subir les pires humiliations et m'a révélé l'existence de cette pièce.

J'entre pour un examen sommaire des lieux.

— Eh bien, voilà qui risque de faire avancer les choses, dis-je.

Nous voyez ci, accrochés, cinq, six... écrivait François Villon.

Note que ça ne ressemble pas au gibet de Montfaucon. Beaucoup plus moderne malgré ses archaïsmes. Néanmoins, ils sont là, accrochés, cinq... Pas six. Il y a Me Paulus, son gorille, la fille bulgare et ses deux sbires. Drôle de tableau, mon gars ! Imagine que chacun des personnages que je viens de citer est suspendu par un pied. Une boucle d'acier enserre sa cheville. Un filin coulissant sur une poulie a permis de les haler, lequel filin est tiré grâce à un moteur électrique. Alors donc voici nos gens, la tête en bas, leurs cheveux touchant presque le sol.

Je prends la parole en chleuh :

— Le marché est simple ! Je veux récupérer le vieil homme que vous avez kidnappé, puis embarqué pour une destination inconnue. S'il ne m'est pas rendu dans l'heure qui suit, nous vidons les lieux et prévenons la police et la presse. Me Paulus aura à leur expliquer comment il se fait qu'une salle de torture a été installée dans le sous-sol de sa maison et je crois, en outre, que sa digne épouse aura d'intéressantes révélations à faire. Nous assisterons à la fin d'une belle carrière. En outre, il sera fortement question d'un certain Bulgare.

Le sang commence à leur débouler dans le cigare.

Je vais m'asseoir près de la gonzesse, à même le sol.

— Ecoutez, ma poule, lui fais-je. Vous ne me croirez probablement pas et cependant c'est la vérité que je vais vous dire. Une flopée de gens sont déjà morts à cause d'un stupide malentendu. Le vieux type ne sait rien de ce que vous croyez, et le médecin décédé près d'Atlanta ne savait rien non plus. Et moi je ne sais rien. Tout ce que j'ai compris, c'est qu'il se passe un coup foireux aux U.S.A. concernant le virus de la variole. Des innocents ont mis le nez dedans et ça s'est terminé en caca-boudin.

Et puis je me tais. Ne reste plus que d'attendre. Je prends mes troupes à l'écart.

— Jérémie et Heidi, fais-je, soyez gentils : allez réveiller Toinet et ramenez-le ici, car nous allons devoir déguerpir au petit matin. Toi, Béru explore les lieux et vois si tu trouves une idée pour nous permettre de quitter Vienne sans attirer l'attention.

— Et ta pomme, tu vas faire quoi t'est-ce ? grogne le Mammouth.

— L'essentiel, réponds-je. Comme toujours !

C'est l'un des hommes de la fille qui s'affale le premier. Faut dire que l'instant est dramatique. Ces gens suspendus par un pinceau sont à bout de résistance. Ils poussent des plaintes déchirantes qu'heureusement l'insonorisation de la salle absorbe.

— Je ne peux plus ! Par pitié ! Par pitié ! fait-il.

Moi, tu t'imagines peut-être que je vais lui bondir dessus, un micro à la main ?

Que non pas.

Dédaigneux, l'Antoine. Je fais joujou avec les instruments de torture : la fraise du dentiste, la baignoire ne possédant qu'un robinet d'eau bouillante, les gros rats velus prisonniers d'une cage munie d'un trappon permettant de passer la tronche d'un homme à l'intérieur, l'armoire à pharmacie contenant une panoplie complète d'ampoules et de seringues pour de sinistres injections, les bons vieux brodequins d'autrefois...

— Je veux parler ! Je veux parler ! que hurle le défaillant.

La gonzesse a encore la force de le traiter de je ne sais quoi dans sa langue maternelle, mais ça ne doit pas être confortable à entendre. Seulement, le gusman (celui qui était resté à bord de l'auto) il a passé le seuil des susceptibilités, de l'honneur, du patriotisme et de tout ce que tu veux. D'autant que Paulus et son porte-lame, vaincus eux aussi, l'exhortent :

— Parle ! Parle !

Ça pourrait presque être drôle !

— Le vieux doit être embarqué pour la Bulgarie ce matin, lâche le mec.

— De quelle façon ?

— En avion particulier. Le départ aura lieu à l'aéro-club de Kuhfliege, dès le lever du soleil ! Détachez-moi ! Je vous en conjure ! J'ai parlé, non ?

Et ma pomme, imperturbable :

— Un avion d'aéro-club possède une autorisation de vol pour Sofia ?

— C'est un Jet de vingt places qui appartient au corps diplomatique bulgare et qui jouit de...

Là, il s'évanouit.

Moi, tu me connais ? Rude adversaire, mais pas mauvais bourrin. Le chevalier au grand cœur ! Je redescends tout mon petit monde, mais sans toutefois ôter la boucle de leurs chevilles. Je les garde même avec une pattoune en l'air, tu piges ? Ils reposent sur le dos, sans plus. Ainsi seront-ils neutralisés jusqu'à ce qu'on vienne les délivrer...

Malin, non ? Tu ne trouves pas ?

Moi, si !

*
**

Alors là...

Alors là, franchement, ça vaudrait le coup de s'acheter un polaroïd à trois schillings (et j'irais même jusqu'à cinq tant tellement ça mériterait d'être immortalisé).

Ce cortège, ma bonne dame !

D'abord la grosse Rolls Phantom noire de Me Paulus, agrémentée d'une flèche crème sur la carrosserie, ce qui lui fait perdre un pouce de sa dignité britannique (1). Sur son toit vénérable, on a placé — ô lèse-majesté ! — un porte-skis avec plusieurs paires de

(1) A propos de britannique, paraît que le duc d'Edimbourg neurasthéniquerait depuis qu'il a terminé ses albums à colorier et arrêté sa collection de bagues de cigares. La couine se fait du mouron et penserait à lui acheter une pute.

planches. Ensuite, il y a M. Blanc, impressionnant dans une livrée de chauffeur de maître bleu marine. Pour suivre, il faut signaler Alexandre-Benoît, spacieux tout plein dans une tenue d'après-ski en daim beige, col de malheureux phoque que Bardot n'a pu sauver, bonnet d'également phoque, si c'est pas une pitié ! Ces fringues sont celles de l'avocat et lui confèrent bonne allure. Quant à ma pomme, pressé, ainsi que la mère Heidi, nous arborisons (dirait Bérurier) également des tenues d'après-ski. Y a que Toinet à rester en civil car nous n'avons pas trouvé de fringues à sa petite taille. Le môme est tout joyce de rouler en Rolls. Il s'amuse à faire coulisser la vitre de séparation destinée à isoler les passagers du conducteur.

— Ça, c'est du carrosse ! jubile-t-il. Je voudrais pas que tu me conduirais en classe avec, parce que les copains se ficheraient de ma gueule, mais franchement, on se croirait dans un salon.

C'est beau l'insouciance. Il vient de vivre des heures terribles, mais déjà elles se dissipent dans sa tronchette.

— A propos de salon, reprend-il, Jérémie a filé une troussée carabinée à cette souris, dans çui de chez elle. Y croyait que je dormais, mais les cris de la môme m'a réveillé. C'est marrant, quand elle se fait chopiner, cette fille, elle tient ses jambes toutes droites, dressées. Ça doit être fatigant, non ?

Ces révélations du mouflet me font rigoler. Décidément, elle se sera respiré notre trio au complet, la belle Heidi ! Tu parles d'une vorace au tempérament de braise !

Le jour est à peu près levé. Il va faire beau, on aperçoit du doré au faîte des toits, et le ciel se purge des derniers nuages noirs qui le souillaient.

L'aéro-club de Kuhfliege est situé au sud de la ville, dans une vaste plaine limitée par des forêts de sapins. En une demi-heure nous l'avons atteint. Quelques lumières brillent encore vers le hangar et dans le club-house. Par les grandes lourdes ouvertes, je distingue un Jessica 47 vert et bleu, aux couleurs de la Bulgarie.

Donc, le petit délicat ne nous a pas berlurés. Grâce à ma ruse de la Rolls et des skis, nous avons pu arriver sans encombre. Sinon on se faisait tartiner la gaufrette car les faubourgs de Vienne, ainsi que les routes qui en partent, sont hachés de barrages policiers. A deux reprises, des flics ont stoppé notre tire, mais, apercevant nos tenues et les skis sur le toit, ils nous ont fait signe de passer sans seulement nous réclamer nos fafs. J'ai idée que la Rolls de Karl Paulus, si repérable, doit être connue des autorités et bénéficier d'un traitement de faveur. Il doit pas se ruiner en contredanses, le maître.

Ainsi donc, nous nous rangeons sur un petit parking, non loin du club-house et nous attendons.

Le Gros ronfle à fond perdu. Jérémie a fait coulisser la vitre pour rester au contact. Toinet me demande, désignant Heidi :

— La gonzesse brune, Tonio, on l'emporte avec nous ?

— Je pense, oui, elle s'est trop mouillée pour nos pommes, si nous la laissions, elle risquerait de mourir jeune.

— Tu crois qu'elle voudra bien me laisser toucher son petit gazon ?

— Si tu le lui demandes poliment, Toinou, y a pas de raison qu'elle te refuse cette faveur ; elle sait vivre.

— Ton môme a des instincts pervers, déclare M. Blanc qui a entendu.

— Moins que ceux qui jouent les bons apôtres et s'empressent de caramboler les petites Autrichiennes bien roulées sitôt qu'ils sont seuls avec elle, réponds-je.

Poum ! Jérémie ferme le son.

Dans le hangar proche, deux hommes s'affairent autour du Jessica 47. Des types jeunes, bien balancés de leur personne.

— On donne l'assaut quand ton copain arrive ?

— On attend d'abord qu'on l'ait fait grimper dans le zinc, pour éviter qu'il dérouille.

Du temps s'écoule. Je comprends pourquoi ils ne

sortent pas le coucou du hangar. Ils veulent auparavant y installer le passager clandestin. Mais, clandestin, il ne devrait pas l'être tout à fait, Félix. Je suis convaincu que si on l'a embarqué hier soir, c'est pour lui établir de faux papiers.

— Mets la radio, fleur de goudron !

Il branche. De la musique. Et encore de la musique. Vienne chante et valse ! Les infos, ce sera pour plus tard.

— Gaffe, Antoine, v'là du peuple ! lance tout à coup le moujingue.

Effectivement, une Audi commerciale grise apparaît à l'orée du terrain. Elle passe près de nous et va se ranger devant le hangar. J'ai eu le temps de distinguer trois silhouettes à l'intérieur. D'un coup de coude, je réveille le Plantigrade.

— Il est l'heure, Gros.

Sa Majesté bondit.

— Paré !

— Tu vois ce qui se passe ? demandé-je à M. Blanc.

— Deux types sont descendus. Ils aident un vieux bonhomme à en faire autant, commente le Léon Zitrone du Sénégal.

— Et ensuite, mon enfant ?

— Ils le font monter.

— O.K., tu vas te tenir prêt à usiner, Blanche-Neige.

— Je t'en conjure, ne m'appelle plus Blanche-Neige, sinon je laisse tout tomber !

— Selon toute logique, continué-je, l'un des deux arrivants va repartir, car il lui faut bien reconduire l'Audi. Donc, ils ne seront plus que trois. Chacun le sien, mes gars ! Toinet, tu te coucheras dans la voiture ainsi que Heidi !

— Et mon cul ! proteste le gamin indomptable.

— Tu as tort, ça te ferait une bath occase de palper celui de la *Fräulein,* comme tu le souhaites.

— Tiens, j'avais pas vu la chose sous cet angle ! reconnaît Toinet.

Comme je l'avais prévu, l'un des deux convoyeurs décroche du zinc, adresse un geste de la pogne aux deux navigants et remonte dans l'Audi. Exit, le mec.

— Bon, avance jusqu'au hangar, Fleur des Savanes. Stoppe ton tas de tôles devant l'avion. Moi, je grimperai à l'intérieur tandis que vous neutraliserez les deux autres. Du vite et bien, vous m'avez compris ?

M. Blanc a déjà mis notre caisse en marche. Les deux gaziers sont justement en train de grimper l'escadrin de l'avion. Nous voyant survenir, ils s'arrêtent pour nous regarder.

Depuis son siège, Jérémie leur adresse un signe péremptoire pour leur enjoindre de redescendre. Dans la vie, c'est toujours celui qui exige, que l'on écoute, si t'as remarqué. Tu te plantes au milieu d'un trottoir, tu lances un coup de sifflet et tu hèles n'importe quel quidam, dare-dare il vient à toi, tout anxieux ! Y a de la peur dans chaque individu. Une peur endémique qui le soumet à toutes les exigences.

Alors, bon, les deux chameliers redescendent. Béru et Jérémie sortent de la Royce.

— Qu'y a-t-il ? demande l'un des deux gars.

Il a jacté en boche, mais Béru n'a pas besoin de lire Goethe dans le texte pour piger. Il ferme sa dextre afin de composer un poing de trois livres, velu, onglu, crevassé. Ce poing, il le place à la hauteur de son épaule.

— Louque, babi ! dit-il en le montrant de son index gauche.

Le mec reluque sans comprendre. Le poing part, accomplit une trajectoire de cinquante-deux centimètres et percute la mâchoire de l'intéressé.

Jérémie, lui, s'est simplement contenté d'appuyer le canon de sa pétoire sur le nombril de l'autre avioneur. Allons, c'est bien parti pour mes aminches. Rassuré, j'escalade l'escadrin, la larme au poing.

Le cher Félix est assis sur un siège, derrière le pilote. Dans quel triste état ! Couvert de bleus, d'ecchymoses. Il y a du sang séché dans sa barbe poussante. Un œil au beurre noir! Une lèvre enflée. A son côté, l'est un escogriffe angulaire à mine patibule. La toute sale gueule que tu ne prendrais jamais en stop, quand bien même tu piloterais un car bondé de C.R.S. en armes. Vilain à ce point, j'y croyais pas. Plus sinistros que lui, tu meurs de peur en te regardant dans une glace!

En me voyant débouler, il perd pas de temps. Quels réflexes, monseigneur! Et pourtant son feu se trouve dans sa poche intérieure. Il l'a déjà en pogne, t'imagines? Vzziiiit! Une bastos lacère le col de mon veston et se fiche dans le capiton de la porte. Cette trajectoire, c'est ensuite que je la détermine, vu que dans l'immédiat, j'ai pas le temps de folâtrer. Ma praline a suivi la sienne d'un millième de seconde. Lui aussi la biche dans le col, mais dans la partie qui touche au revers. Sa clavicule explose et il lui manque au cou un morceau de bidoche, regarde : gros comme ça. Tu vois? Non, j'exagère : comme ça! Mais c'est déjà quelque chose, hein? D'un bond je saute sur sa main armée et m'abats dans la travée. Crac! Son bras a porté sur l'accoudoir du siège et le voilà cassé! L'os (je me rappelle plus lequel, en tout cas c'est pas l'utérus) a traversé chair et vêtements. Que tu pourrais t'en faire un portemanteau! Le zigus, malgré son trou au cou, son omoplate zinguée et son bras droit brisé, il continue de regimber. Tu sais que je dois filer un coup de crosse sur la coupole pour le faire tenir sage. Ah! les Bulgares, tu m'en parleras, je saurai quoi te répondre.

— Cher San-Antonio, bêle Félix, je savais que vous me tireriez de ce mauvais pas. Comme je l'ai écrit à la page 120 ou 121 de mon livre *Les Chênes qu'on débite : l'espoir est le seul élixir de l'homme.*

— J'ignorais que vous eussiez publié un livre, professeur.

— Sans doute parce que je ne l'ai jamais écrit, explique-t-il. C'est un ouvrage que je me suis contenté de composer et d'apprendre par cœur un peu comme l'a fait Soljenitsyne au goulag où il n'avait même pas de papier pour se torcher le cul !

— En ce cas pourquoi parlez-vous d'une citation de la page 120 ou 121 ?

— Parce que, me répond Félix, d'une voix amoindrie par les mauvais traitements qu'il a subis, je me suis imaginé qu'on le composait en caractères elzévir, corps 10, avec espacement de deux points et 45 lignes à la page. Ça me permet de m'y reférer plus aisément, comprenez-vous ?

— Et pourquoi ne le confiâtes-vous point à un éditeur ?

— A quoi bon le publier, Antoine ? Il y a belle lurette que la littérature a fait son plein. Tout ce qui s'écrit depuis cent ans n'est que redites, mon pauvre ami. Il n'y a plus de place que pour la recherche scientifique. La philosophie est saturée, pire : superflue ! Mon bouquin n'est qu'un jeu de l'esprit réservé à mon seul usage. Si j'avais su broder ou faire de la vannerie, il est probable que je ne l'aurais pas composé.

Ainsi parlons-nous, le Félix retrouvé et moi-même, en présence d'un individu inanimé, dont l'âme me semble incertaine.

D'aucunes et d'aucuns trouveront l'instant mal choisi pour une conversation de cet ordre, je sais. Mais qu'importe puisque j'emmerde ces gens-là ? Celui qui n'assume pas sa fantaisie n'est bon qu'à placer des papillons sous des pare-brises ou à sculpter le buste de Raymond Barre dans du saindoux.

— Maintenant, venez, Félix, il est temps de filer.

C'est alors qu'une voix juvénile retentit. Celle de Toinet. Le gamin vient de grimper à bord du Jessica et examine la carlingue avec intérêt.

— Dis voir, le grand, murmure-t-il. Pourquoi qu'on se barrerait-il pas avec ce zinc ? Les pilotes, y sont en bas et vu la manière que tonton Béru leur cause, y ne demandent qu'à nous rendre service.

Il s'approche. Un sourire en coin, déjà équivoque,

tord sa bouche de gavroche. Il avance sa main jusqu'à mon pif.

— Juste te montrer que j'ai réalisé mes projets, mec. C'est bath !

DESSINE-MOI LA CONCLUSION

Tu sais qu'il est un peu génial sur les bords, Toinet ? Quand je pense qu'on aurait pu se faire écrémer le tempérament en passant des frontières en bagnole ! Qu'avec ce zinc, tout bêtement on a volé d'un tire-d'ailes jusqu'en Suisse chérie. Le pilote, bien que bulgare, s'est laissé convaincre facile quand il a vu la façon dont je venais d'arranger l'escogriffe et lorsque Béru a dégainé son vieil Opinel à la lame affûtée comme un rayon laser en annonçant qu'il allait lui couper les pruneaux d'Agen l'un après l'autre. Déjà, il venait de le déculotter et d'y empoigner la bistougnette pour de louches vivisections (halte !). Bon, il a donc compris, le gentil pilote, compris que héros, bravo, merci, ça fait joli dans un cercueil avec un coussinet pour épingler sa médaille posthume, mais que vivant et découillé, ça ne ressemble plus à grand-chose. Surtout quand, comme lui, tu viens d'épouser une choucarde blondinette prénommée Frédérika.

Alors, bon, il a pris son envol sans signaler de dérogation à son plan initial et son pote radio a joué le jeu. Un premier tronçon devait l'amener à survoler Zagreb. O.K. il opte pour cette direction, seulement, à l'aplomb de Gratz, salut les Yougos ! Il vire à droite comme un malade et pique sur la Suisse aux monts indépendants. Il me demande où je veux me poser. Je me rappelle alors un pote qui fait de l'aviontage près de

Neuchâtel, et nous voici sur le plancher des vaches helvétiques, qui sont les plus célèbres du monde après Mme Thatcher. Drôlement performantes, je te le dis. Y en a, le gruyère leur sort directement des pis, et chez d'autres qu'ont le diabète, c'est des caramels au lait !

Je dis au pilote que, s'il veut épargner des couilleries à tout le monde, il faut qu'il prétende avoir été détourné par l'escogriffe, lequel fait si bien semblant d'agoniser qu'il est peut-être vraiment mourant. L'homme a choisi la liberté et c'est à l'atterrissage qu'ils sont parvenus à le baiser en canard !

A la cabine publique de l'aéro-club nous appellons un taxi-minibus. C'est une dame brune, piquante, qui le drive. Valaisane, je reconnais l'accent. Elle nous demande pour où est-ce, et je lui rétroque qu'on va à Pontarlier.

Tu noteras que, dans cette vallée de larmes, quand le temps se remet au beau fixe, c'est exactement comme quand il commence à débloquer : tout baigne. Là, pas le plus petit encombre. Si je te disais qu'il y a même pas de douaniers aux postes frontières suisse et franchouille. Et pourtant il pleut pas ! Comment t'espliques ? C'est vrai qu'il y a en différé le match France-Suisse à la télé !

— Je ne pensais pas retrouver l'amère patrie, murmure Félix.

Le taxoche embarde, becauser Béru qui s'est assis au côté de la conductrice et qui vient de découvrir qu'elle porte des jarretelles.

Dans sa livrée de chauffeur, Jérémie ressemble à un acteur pour feuilleton amerloque. Il fait bande à part, le négro. Pas content de soi. Il doit songer à sa chère Ramadé et à la bathouse paire de cornes qu'il lui a infligée. Genre gazelle, torsadées et pointues, les cornes en question. Très seyantes pour une tignasse crépue. Il me hait d'avoir trompé sa femme. Quand tu commets le péché, t'as besoin d'un bouc commissaire, comme dit Béru.

Toinet s'est endormi contre l'épaule de la courageuse

Heidi. Il a glissé sa menotte entre les mains de l'ardente Autrichienne et il s'abandonne, confiant. S'il avait quelques années de plus, elle le déniaiserait très probablement ; seulement, comme il l'admet lui-même : onze ans, c'est un peu tôt pour la cabriole mutine !

Tu me croiras ou pas — j'en ai strictement rien à essorer — mais on s'est encore pratiquement pas parlé, le Prof et mégnace. Il a été tellement chahuté, le vieux, que je préfère lui laisser le temps de récupérer un peu avant d'aborder les choses sérieuses. Sa pauvre gueule malmenée semble avoir été passée au mixer. Il lui est venu un tic, Félix. Il hoche la tête toutes les dix secondes en réprimant un petit cri d'effarouchement.

Parfois, il dodeline, sa tempe se pose contre la vitre. Et puis il a un soubresaut de terreur. Il regarde autour de lui, effaré. Se calme, en nous constatant. Je crains qu'à son âge, une aussi terrible aventure ne lui laisse des séquelles irrémédiables. Son psychisme va donner de la bande, c'est certain. Moi, l'idée qu'il se retrouvera seulâtre, dans quelques heures, me navre. Je me le cadre dans un apparte vermoulu, plein de vaisselle sale, de hardes inlavées et d'odeurs suspectes. Il doit y avoir des piles de bouquins à même le plancher. Un grabat en guise de lit. Je suis allé l'arracher à sa mélasse pour le replonger dans son caca d'origine. C'est pas ça, l'altruisme.

Seulement en faire quoi, du Félix ? L'amener chez nous ? Je peux pas infliger ce débris à Félicie ! C'est alors qu'il me vient une idée bassement géniale et même génitale. Je me penche en avant pour que mes lèvres puissent gagner l'oreille droite d'Heidi sans éveiller Toinet.

— Tu comptes rester en France, môme ?

— Si je peux obtenir un permis de séjour, sûrement.

— *No* problème, ma poule ; on a des relations bien placées, c'est un coup de téléphone à donner. Et j'ai même un mari pour toi. Tu seras naturalisée d'office.

— Qui est-ce ?

— Le vieux qui est assis près de moi.

Elle regarde, par acquit de conscience, le dodelineur ecchymosé. Fait la grimace.

— Drôle de cadeau ! soupire la brune pétillante.

— Tu ne crois pas si bien dire. Regarde !

Je passe mon bras par-dessus le dossier de son siège. De mon autre main, je retrousse ma manche jusqu'au coude.

— Que dirait une saute-au-paf de ton registre d'un braque de ce gabarit ?

— Que c'est un mirage ! Il peut pas exister !

— Il existe, môme ! Et je peux te donner son adresse : le pantalon de mon ami Félix. C'est l'une des plus fameuses anomalies de la nature. Ses déboires ont commencé aux U.S.A. où un congrès de médecins l'avaient fait venir à prix d'or pour qu'il montre sa chopine en faculté. Tu as eu droit au braque de mister Bérurier et je crois savoir que tu en as conçu un contentement véhément ! Dis-toi que le membre du Gros est un cure-dents comparé à celui du *Herr Professor* : il mesure quarante-huit centimètres, mémé.

Elle a les yeux qui font trois fois le tour de leurs logements à cloche-pied.

Elle répète :

— Quarante-huit centimètres !

— Au moins !

— Au moins ?

— De plus, Félix jouit d'une aisance confortable. Il serait pour toi un mari idéal. Il t'apprendrait le français et, qui sait, peut-être serait-il encore apte à te faire des enfants remboursés par la Sécurité sociale ?

« En ce moment, tu le vois après qu'il ait subi des sévices ; mais dis-toi qu'une fois cicatrisé, rasé et pomponné, il est plus présentable que ton Curt Valdingue de président au pedigree aléatoire. »

Elle hoche la tête.

— Il faut voir, admet cette femme pratique, sachant s'adapter aux circonstances et aux zobs de bonne rencontre.

— Sana ! me hèle l'organe du Mammouth, ça te dirait-il-t-il que not' chauffeuse nous drivasse jusque z'à Paris ? Ell' serait d'accord moiliennant mille pions français ; son vieux est en train de tirer sa période militaire et rien n' la hâte de rentrer. J' pourrerais la berger chez moi dont ma Berthe est absente à cause des vacances qu'ell' prend au Clube Med av'c Alfred. Pas vrai, trognon ? ajoute-t-il à l'adresse de notre conductrice helvète. Je vous offrirerais un gueul'ton soigné chez Finfin, l' kinge de l'andouliette ; n'ensute j' vous ferais visiter Montmartre et pour finir un enfourchement qu' je vous dis des nouvelles ! On f'rait viendre Samso-Nyte, ma bonne esquimaude qu' j'ai gagnée au Gros et Lent. Je l'aye dressée pour l' pucier et ell' est plein d'attentions délicates ! Le pouce dans l'œil d' bronze, la menteuse sous les roustons, la p'tite fessée façon panpan-cucul, c't' une providence c'te fille qu'on a juste à lu reprocher d' schlinguer l'huile de foie d' morue qu'é s' coiffe avec.

Il jacte, jacte... Fait des promesses érotiques qu'il tiendra haut la bite.

Un coup de frein consécutif au pouce du Mastard versé en acompte à la conductrice tire Félix de sa somnolence. Sa bouille a porté contre la vitre et voilà qu'il saigne de plus rechef, le pauvre bonhomme. Heidi s'empresse de l'étancher avec son mouchoir. Tout en s'activant, elle contrôle, d'une main glissante et fureteuse le bien-fondé de ce que je lui ai dit tout à l'heure. L'ayant constaté, elle m'adresse un délicieux sourire dans lequel je crois déceler comme de la reconnaissance.

— Je pense accepter votre proposition, me dit-elle.

Touché par la sollicitude dont il est l'objet, le Prof caresse les hanches de son infirmière.

— Cette personne est d'un grand agrément, murmure-t-il.

— Il ne tient qu'à vous d'en faire votre épouse légitime, Félix.

— A mon âge ! proteste le brave ami.

— Qu'est une date en comparaison de votre queue, mon cher ? Cette fille est sous le charme. Elle entend refaire sa vie. Vous pouvez parfaitement, quant à vous, poursuivre la vôtre entre ses jambes, que je sache ?

— C'est à voir, admet l'érudit. Pourquoi pas, après tout ?

Il sourit. Un sourire lumineux comme on en voit sur les vitraux des cathédrales. Sourire de bienheureux, empreint de béatitude ; sourire de vieil anarchiste mélancolique. Sourire de misanthrope indulgent. Sourire d'homme sceptique secrètement heureux de posséder le plus gros sexe du monde. Désintéressé jusqu'aux os, mais détenteur entre ses vieilles jambes arquées, d'un fabuleux capital. O Félix, Félix ! Profite de tes grâces, de ton intelligence et de ta culture, de tes vieux jours et de ton paf surdimensionné. Profite, vieux bonze ! Profite !

— Vous savez, Antoine, que j'ai eu le fin mot de cette histoire d'Atlanta ?

Ça se produit spontanément. Il accouche de lui-même, sans qu'on ait à lui provoquer par piqûres les contractions libératrices.

— Vraiment ? fais-je d'un ton détaché.

— A travers leurs interrogatoires, j'ai pu définir la vérité.

— C'est bien, Félix.

— Comme vous le savez, la variole a été vaincue dans le monde. Même dans les régions les plus reculées on n'enregistre plus le moindre cas.

— Je suis au courant.

— A des fins militaires, les Russes et les Américains ont conservé le virus de cette maladie. Les premiers à Moscou, les seconds à Atlanta (1) pour le lancer sur des populations, en cas de conflit. Prises au dépourvu, celles-ci seraient décimées.

— Charmant.

(1) La chose est rigoureusement exacte.

Les Editeurs

— Bien entendu, chacune de ces deux grandes puissances sait que l'autre a fait comme elle.

— Il faut bien que les services d'espionnage servent à quelque chose !

— Seulement, les Ricains, plus vicieux, ont ajouté au virus qu'il détienne un *plus* qui rend inefficace le vaccin russe. Dès lors, ce *must* leur accorde la priorité absolue de cette arme.

— Tu parles, Charles ! comme disait Mme De Gaulle.

— Informés de la chose, les services de Santé soviétiques ont voulu, coûte que coûte, avoir un échantillonnage du virus *yankee.*

— Logique. Ils ont dépêché deux friponnes pour faire main basse sur cette saloperie ?

— Exact. Vous pensez bien, Antoine, que ce virus est conservé dans des coffres inexpugnables. Les Soviétiques ont choisi la bonne vieille méthode de la séduction pour y accéder. *Le devoir n'existe plus lorsque le désir est trop fort,* comme il est dit à la page 67 ou 68 de mon livre. Ces salopes, avec leurs chattes roses et leurs sourires rouges, font damner les hommes de devoir les plus irréductibles ! Les deux filles avaient à rendre fou l'un des quatre fonctionnaires détenteurs du système d'ouverture des coffres de stockage. Elles ont déployé tous leurs charmes et usé des techniques amoureuses les plus perverses pour rendre maboul l'un des quatre geôliers du virus. Elles y sont parvenues. Ce type, ensuqué, drogué, râlant d'amour, leur a donné satisfaction. Il a prélevé dans le stock deux petits conteneurs et les as remis aux espionnes en question : des Polonaises.

— Deux conteneurs ! sursauté-je.

— Oui, mon brave Antoine : deux !

— Mais, un seul conteneur a été retrouvé !

— Et c'est bien ce qui a causé nos misères au petit docteur et à moi ! Sachez auparavant que le service de protection du virus était si bien assuré que si l'on soustrayait un seul conteneur, un système d'alarme se déclenchait. Le fonctionnaire indélicat le savait, aussi a-t-il placé dans le coffre un paquet de poids identique aux deux conteneurs volés car le système d'alarme était basé sur le poids. Seulement, pendant la minime fraction de temps où il a soulevé les conteneurs pour déposer le paquet, le signal d'alarme a eu « une saute ». Ç'a été trop bref pour qu'il se déclenche de façon sonore, mais la chose était lisible dans le tracé de contrôle. Si bien que l'alerte a été donnée le jour même. Immédiatement un dispositif de la C.I.A. a joué. Au bout d'une heure, ils avaient sélectionné le fautif parmi les quatre « possibles ». Convenablement interrogé, l'homme passait aux aveux et l'on arrêtait les deux souris à leur motel. Vous le savez, se voyant prises, elles ont balancé l'un des conteneurs dans le bungalow voisin, ce qui a eu les conséquences que vous connaissez. Mais le second est resté introuvable. Lorsque nous sommes allés faire notre foutue déclaration à la police d'Atlanta, les services spéciaux ont été aussitôt prévenus. Pour lors, stupidement, on nous a suspectés et une opération a été lancée contre nous. Elle s'est tragiquement terminée pour le petit docteur. Pour ma part, j'ai pu disposer d'un répit qui m'a permis de filer. Fuite illusoire. Les Russes, toujours très vigilants, avaient déjà été alertés à notre propos et ils ont appris, avant même les Ricains, mon départ pour Vienne où j'ai été accueilli dès l'aéroport.

Il est essoufflé, le vieux Bicounet.

— Reprenez-vous, Félix. Nous reparlerons de tout cela plus tard.

La voix de Bérurier s'élève :

— Mes chers camarades et néanmoins amis, si vous n'y verreriez pas d'inconvénience, on va s' payer une halte su' un parkinge. Du temps qu' vous v' dégourdirez les cannes, j' rest'rai dans l' bus av'c not' aimab' conductrice vu qu'on est tabou d' nerfes d'puis qu' j'y fais des agaceries. Y a des choses qu'on peu plus remett' à plus tard, mes drôles, vous l'ignorerez pas puisqu' vous l' savez. Quand la viande commande, faut toujours laisser parler son corps !

DESSINE-MOI LA VRAIE FIN FINALE

— Pourquoi tu fais cette frime, Toinet ? Ça te plaît pas, l'Amérique ?

— Si ! répond-il mollement.

— Tu devrais être en classe en ce moment, à te faire suer la bitoune sur une compo de math !

— J'sais bien !

— Alors ?

— J'pense à maman Félicie, mec. On est durs avec elle. Jamais on y fera la surprise d'aller la surprendre à Abano puisqu'elle va rentrer la semaine prochaine et qu'nous sommes aux U.S.A.

Je lui tapote la joue.

— Tu es gentil, gamin. Tu as raison de bien l'aimer, m'man, c'est une femme admirable.

— Alors, puisque c'est une femme admirable, pourquoi qu'on vient glander dans ce motel d'Atlanta au lieu d'aller la retrouver ?

— Parce qu'il existe une chose qui doit primer toutes les autres, mon lapin, et elle se nomme la conscience professionnelle.

Je fais sauter la clé du 14 dans ma paume. C'est le fils Ferguson qui me l'a remise en main propre, après que je lui eusse raconté une fable pour justifier que je veuille le bungalow-tente d'indien 14 et pas un autre ! « J'y suis venu, voici douze ans avec la mère de mon enfant ici présent, laquelle est décédée depuis dans un accident de machine à coudre. »

L'obèse a hoché la tête. Lui, il bouffait des saucisses qu'il trempait dans un petit carton Mc Donald's plein de chili sauce. Mes pèlerinages amoureux, il en a strictement rien à masturber ! Il bouffe sa mort à pleine chailles, comme s'il souhaitait crever d'explosion à l'âge où les autres se font nommer président-directeur général de la firme où ils grattent.

Du moment que le 14 était libre, il m'a donné le 14 ; avec un intense rot, en prime. Un rot dont l'exhalaison n'en finissait pas et qui passait en revue des denrées merdiques à n'en plus finir, ingérées depuis le matin.

Je me plante devant la construction de ciment. Elle a la forme d'une hutte d'Indien et on l'a peinte en rouge, avec des trompe-l'œil puérils. Mais les couleurs sont fanées et s'écaillent. Le gros sac de l'office n'a même pas le courage d'entretenir son motel.

— Explique-moi ! demande Toinet.

Je lui montre la construction de gauche.

— Dans cette tente se trouvaient les deux espionnes avec leurs deux conteneurs volés. Le F.B.I. se pointe. Elles sont foutues ! Elles tentent le tout pour le tout. L'une balance l'un des conteneurs par la fenêtre, dans le bungalow de gauche. Alors moi, San-Antonio, flic d'élite et homme d'une intelligence au-dessus de celle de Canuet, je prends le pari que sa copine a virgulé le second conteneur par la fenêtre de droite, dans le bungalow de droite. Ne jamais mettre ses œufs dans le même panier !

Le gamin murmure :

— Si elle l'avait balancé, il aurait été retrouvé aussi. Ou bien alors, il a été retrouvé, et la personne qui l'a ramassé l'a emporté !

— Emporter une boîte de bois capitonnée contenant des ampoules ? Non, fiston, ce genre d'objet n'éveille aucune cupidité !

— Alors quoi ?

— Alors nous venons de parcourir six mille kilomètres pour essayer de comprendre.

Là-dessus, j'engage la clé dans la serrure.

L'intérieur est sobre, plutôt sympa. Un lit bas, avec une tête de lit en peau de cheval. Un placard de bois peint. Une table, deux chaises, un poste de tévé et un appareil à air conditionné.

Et puis, au mur, une espèce de broderie indienne, fabriquée à Hong Kong ou à Formose, qui représente un cheval cabré. Le motel part doucettement en sucette. J'ai idée que le fils Ferguson s'enlise dans sa graisse et perd le contact avec les réalités non comestibles. Le 14 pue le renfermé, la poussière surchauffée, le cul.

J'attire une chaise contre la porte, du bout du pied et prends place. Du calme, Antoine ! Tu as tout ton temps, beau mec (1).

— Ouvre la fenêtre de gauche, Toinet !

Il obtempère, serré, appliqué, respectueux, lui qui ne l'est jamais.

— Saute par la fenêtre et va te placer contre celle du bungalow voisin. Tiens, prends mon petit guide Berlitz, quand je te le dirai, tu le lanceras ici de toutes tes forces.

Le gentil ouistiti obéit scrupuleusement.

— Tu y es, brin d'homme ?

— Moui !

— Lance !

L'ouvrage arrive par la fenêtre, traverse la pièce, heurte le mur arrondi et choit près de l'appareil à air conditionné.

J'attends le retour de mon zélé collaborateur.

— Ça t'a appris quelque chose ? demande-t-il.

— Oui, mon petit pote. Ça m'a appris que les

(1) C'est pas moi qui l'affirme, mais 114 892 gonzesses.
San-A.

volumes coniques sont impropres à l'habitat moderne. Ainsi, tu vois cet appareil à air conditionné ?

— *Yes,* mec.

— Pour offrir une efficacité maximale, il devrait être posé verticalement, mais là, le mouvement du mur a contraint l'installateur à le placer d'une manière inclinée. D'autre part, comme le mur est arrondi et que l'appareil est rectiligne, il en résulte une espèce de niche, je me goure ?

— Textuel, grand.

— Si je te pariais mes couilles que le deuxième conteneur est dans cette sorte de poche, tu me répondrais quoi, moujingue ?

— Que Maria, notre bonne, pourrait bien se mettre la tringle, le soir ! Mais c'est un risque à courir.

Il s'avance vers l'appareil.

— Non ! hurlé-je.

— Tu veux avoir l'imprimeur de la trouvaille ? ricane Zébulon.

— Non, mon bijou, je veux simplement t'éviter d'attraper la variole.

J'avance lentement ma main par l'orifice. Les doigts en pince. Mon guignol breloque à mort ! Je ferme les yeux. La sono racoleuse du motel diffuse une musique qui te fait sanguinoler les trompes comme quand on veut découper une enclume en tranches avec une scie à bois. Elle me flanque la gerbe.

Six mille bornes à mes frais pour venir couler ma main dans cette niche ! Faut être moi et pas un autre, tu conviens ?

Ça bouge sous mes doigts. Je suis les contours d'un étui de bois. Merveilleux San-Antonio ! Ah ! tu dois l'aimer ce brigand, va ! Il peut se faire sucer la tête haute ; il a bien mérité de goûter aux frustes plaisirs de ce bas monde en attendant les futures vraies félicités !

Je viens de déposer le conteneur sur la table. Il est couvert de poussière, de moutons. Comme il paraît hostile, ce petit coffret plat ! Comme on sent bien qu'il est rempli de vilaine mort !

— Qu'est-ce on va en faire ? chuchote le gosse d'une voix peureuse.

— Il y a un consulat russe à Atlanta, je vais aller remettre ça au consul.

Il bée :

— Mais t'es louf, le grand ! Après ce que les Popoffs ont fait à ton ami Félisque ?

— Ça n'entre pas en ligne de compte, mon lapin. Si cette saloperie devait être utilisée un jour, il n'y a aucune raison pour que les populations soviétiques en meurent. Car, écoute ce que je vais te dire, Toinet : tous les hommes sont des hommes.

Tous les hommes !

Achevé d'imprimer en juin 1988
sur les presses de l'Imprimerie Bussière
à Saint-Amand (Cher)

— N° d'impression : 4493. —
Dépôt légal : juillet 1988.

Imprimé en France